Le papa idéal

CARA COLTER

Le papa idéal

COLLECTION HORIZON

*éditions*Harlequin

Cet ouvrage a été publié en langue anglaise
sous le titre :
GUESS WHO'S COMING FOR CHRISTMAS ?

Traduction française de
FRANÇOISE NAGEL

Originally published by SILHOUETTE BOOKS,
division of Harlequin Enterprises Ltd.
Toronto, Canada

83-85, boulevard Vincent-Auriol, 75013 PARIS — Tél. : 01 42 16 63 63
Service Lectrices — Tél. : 01 45 82 47 47
ISBN 2-280-14394-1 — ISSN 0993-4456

Prologue

— Maîtresse, tu m'aides à écrire ma lettre au Père Noël ?

Le petit garçon s'approcha du bureau de Mme Beckett et planta son regard dans le sien, avec tout le sérieux de ses cinq ans.

L'institutrice releva la tête et sentit son cœur fondre. Jamie Cavell était un adorable enfant, aux traits délicats et aux épais cheveux noirs. Ses grands yeux bleus, très graves, soulignaient la douceur de son visage. Il serrait contre son cœur un vieil ours en peluche, usé jusqu'à la trame. D'ordinaire, l'institutrice appliquait strictement le règlement de l'école maternelle interdisant aux enfants d'apporter en classe leurs jouets personnels. Mais Jamie avait droit à un traitement de faveur. L'enfant avait perdu sa mère dans un accident de voiture l'année précédente, et refusait depuis de se séparer de son ours favori, baptisé Buddy Bear.

Mme Beckett ouvrit le tiroir de son bureau, prit une feuille de papier à lettres et répondit avec gentillesse :

— Bien sûr, Jamie, dicte-moi.

Voyant le garçonnet fermer les yeux et réfléchir un long moment, elle attendit, le stylo à la main. Peut-être avait-il besoin d'un conseil ? Mais que suggérer à un enfant qui avait tout perdu ?

— As-tu envie d'un jeu vidéo ? proposa-t-elle sans conviction. Comme ceux que nous avons à l'école… Veux-tu que je le mette sur ta liste ?

Maudissant sa maladresse, l'institutrice se mordit la lèvre. Trop tard ! Les Cavell ne devaient pas posséder d'ordinateur à la maison.

Bethany Cavell, la tante de Jamie, tutrice de l'enfant, travaillait comme secrétaire dans une agence immobilière, et ses moyens modestes ne lui permettaient probablement pas d'acquérir ce genre d'équipement.

Jamie ouvrit les yeux et considéra longuement son interlocutrice avant d'articuler avec fermeté :

— Je ne veux pas de jeux électroniques, ni de jouets, ni de chien.

— Que désires-tu alors, mon petit ?

— Un papa !

— Mais, Jamie, s'exclama Mme Beckett, interloquée, je ne pense vraiment pas que…

L'enfant n'écoutait plus. Les yeux clos, les sourcils froncés dans un intense effort de concentration, il se mit à dicter à voix basse :

— Cher Père Noël, J'espère que tout se passe bien chez toi, au pôle Nord. Comment vont les rennes et les lutins ?

Il s'interrompit un moment puis, estimant que les politesses avaient assez duré, passa aux choses sérieuses :

— J'ai été très sage cette année. J'aide beaucoup ma tante, et elle en a besoin, tu peux me croire ! Pour Noël, j'ai besoin d'un papa.

— Vas-tu expliquer au Père Noël, pourquoi…, heu…, tu as besoin d'un papa ? bredouilla Mme Beckett.

Jamie lui lança un regard entendu.

— Il le sait très bien.

Il examina d'un air sérieux ce que l'institutrice avait écrit, puis poursuivit :

— Tu peux signer à la fin : « Gros bisous, Jamie ». Et ajouter un *péaisse.*

Mme Beckett passa une main dans ses cheveux grisonnants. Un *péaisse…* Un P.S. ! Elle ne put réprimer un sourire.

— Nous n'avons pas encore appris à écrire. Comment sais-tu ce qu'est un post-scriptum ?

Jamie poussa un léger soupir.

— Tous les jours avant de partir travailler, ma maman m'écrivait un petit mot pour dire : « Passe une bonne journée » ou bien « Dis bonjour à Bobby pour moi ». Et à la fin, elle mettait toujours : « *Péaisse* : je t'aime très fort ».

Il hocha doucement la tête.

— C'est le *péaisse* le plus important.

Et, reprenant sa dictée, il enchaîna :

— « *Péaisse* : E st-ce que le pôle Nord est près du paradis ? » Tout le monde dit que ma maman est devenue mon ange gardien et qu'elle veille sur moi. Mais j'ai besoin d'être sûr. Alors, si c'est vrai, est-ce que je pourrais avoir de la neige pour Noël ?

Mme Beckett détourna vivement la tête pour dissimuler son regard désolé. La petite école de Pleasant Valley se trouvait à Tucson, dans l'Arizona, région où les chances de chutes de neige étaient pratiquement nulles, quelle que fût la saison.

Pour se donner une contenance, elle inscrivit avec soin l'adresse « Père Noël — Pôle Nord » sur l'enveloppe, et la cacheta.

— Veux-tu que je la poste pour toi ? interrogea-t-elle, dans l'intention d'épargner à Bethany l'embarras d'une commande impossible à satisfaire.

— Non, merci. Tante Beth va s'en occuper.

Attendrie, l'institutrice remarqua l'affection qui perçait dans la voix de l'enfant lorsqu'il parlait de sa tante. Elle se remémora le visage de Bethany Cavell, qu'elle avait rencontrée lors de la dernière réunion de parents d'élèves. De la jeune femme émanait la même impression de douceur et de sensibilité que celle qui se lisait sur le visage de l'enfant. Mais aussi le même chagrin.

A contrecœur, Mme Beckett tendit la lettre à Jamie et fut tout à coup saisie d'une sensation étrange. Alors que leurs deux mains s'effleuraient au-dessus de l'enveloppe, elle prit conscience que celle du garçonnet, si petite, si fragile, était pourtant capable de porter tous les espoirs et les rêves du monde. L'espace d'un instant, le temps sembla suspendu.

L'institutrice frissonna. C'était une part d'elle-même qui s'exprimait dans la requête qu'elle venait d'écrire, celle qui, après toutes ses années d'expérience, voulait encore croire à la magie, aux miracles, à Noël.

1.

Debout, dans le terminal des arrivées de l'aéroport international de Calgary, Riley Keenan se sentait parfaitement ridicule.

Même au milieu de ce décor, pourtant dans le style régional de l'Ouest canadien, sa silhouette rugueuse de cow-boy se détachait nettement dans la foule. Décidément, il n'était pas à sa place dans ce genre d'endroit !

C'était le 21 décembre, le jour le plus animé de l'année, lui avait annoncé, l'air affairé, un employé du parking. Comme s'il s'agissait d'un événement dont il y avait lieu de se réjouir ! Des nuées de voyageurs tournoyaient dans une ambiance festive. Les haut-parleurs diffusaient sans relâche des chansons de Noël, et chaque échange avec un membre du personnel de l'aéroport se terminait par l'inévitable : « Joyeuses fêtes ! »

Pas moyen d'y échapper ! Aussi Riley en avait-il pris son parti. La mine farouche et inflexible, il se dressait, tel un rocher inébranlable, au milieu de cette vague déferlante de touristes joviaux.

Ce n'était toutefois pas le fait de détonner dans l'atmosphère ambiante qui donnait à Riley Keenan ce pénible sentiment d'incongruité. Non, il n'était pas homme à souhaiter à tout prix se couler dans le moule environnant. Il appartenait à la région sauvage des montagnes Rocheuses. Son domaine, c'étaient les nues et vastes prairies, les arbres géants, les torrents tumultueux et les rochers abrupts. Et cela lui suffisait.

C'était un homme rude et solitaire, il appartenait à ces lieux austères et désolés où peu de gens se rendaient, et encore moins demeuraient. Il avait l'habitude du silence, aimait la solitude et la seule compagnie des chevaux.

Non, il ne se sentait pas grotesque, et n'avait pas honte de ce qu'il était. Ce qu'il trouvait absurde, c'était de se trouver là, hors de son élément naturel, à faire ce qui contrastait totalement avec son caractère.

Il détestait attendre dans cet aéroport, entouré d'une foule de gens pour qui Noël revêtait une signification spéciale. Et il haïssait par-dessus tout avoir à brandir une pancarte sur laquelle étaient inscrits les noms de deux personnes qu'il ne connaissait pas et, à dire vrai, qu'il n'avait aucune envie de connaître : Bethany et Jamie Cavell.

L'arrivée du vol en provenance de Tucson fut finalement annoncée avec un retard de plusieurs heures. Il était à présent 4 heures de l'après-midi, et la patience de Riley était à bout.

Une femme lui heurta malencontreusement le tibia avec sa valise à roulettes.

— Joyeux Noël ! lui lança-t-elle en guise d'excuse, avec un grand sourire.

Riley la foudroya du regard. La voyageuse s'esquiva sans demander son reste. Elle aurait fui avec encore plus de hâte si elle avait pu deviner les pensées furieuses que nourrissait le cow-boy.

Car Riley Keenan était mentalement occupé à vouer sa mère aux gémonies. Pourtant, le monde n'avait jamais connu femme plus délicieuse que Mary Keenan, une vieille dame tranquille et douce, dotée d'un cœur d'or et d'un optimisme à toute épreuve.

Il n'empêchait que la générosité naturelle de sa mère se trouvait au cœur du présent problème de Riley. Lorsqu'une femme bizarre lui avait téléphoné de l'Arizona pour raconter qu'elle souhaitait offrir de la neige à son neveu pour Noël, Mary aurait dû raccrocher immédiatement, sans autre forme de politesse.

Mais, bien sûr, ce n'était pas dans ses manières. Elle avait au contraire offert de louer *sa* cabane de chasse à de parfaits étrangers pour la durée des fêtes de Noël. Non que Riley en eût particulièrement besoin en ce moment, mais c'était une question de principes !

La cabane de chasse était réservée aux chasseurs, à qui Riley servait de guide sur la piste de l'ours au printemps et de l'orignal en automne. Et, quand bien même sa mère s'était toujours occupée des réservations, le fait demeurait qu'une cabane de chasseurs signifiait avant tout une cabane d'*hommes*. Un endroit inconfortable où l'on fumait le cigare, où l'on buvait du whisky, et où personne ne songeait à retirer ses chaussures ni à se plaindre des souris.

— Cette cabane n'est pas l'endroit idéal pour passer un Noël de carte postale, objecta-t-il à sa mère.

— Sottises ! Le paysage y est magnifique en hiver, avec les arbres couverts de neige, les cerfs qui arpentent la prairie et, au loin, les montagnes étincelantes...

— Il n'y a même pas de sanitaires. Rien de tel que des latrines au fond du jardin pour tuer le romantisme !

— Je m'occuperai de tout, répondit Mary avec entrain, déterminée à ne pas se laisser intimider par les protestations de son fils. Je vais astiquer les meubles, accrocher de nouveaux rideaux aux fenêtres... Cela suffira pour transformer cette cabane en une maisonnette de conte de fées.

Un conte de fées ! Les cabanes de chasse n'étaient pas supposées sortir tout droit d'un livre pour enfants !

— Comment se fait-il qu'une habitante de l'Arizona ait entendu parler de *ma* cabane de chasse ? On l'a mentionnée dans un article de *Maisons et Jardins*, c'est ça ? J'imagine le sous-titre : « Noël à l'ancienne, en pleine nature sauvage »...

Mary ignora les sarcasmes de son fils.

— Il se trouve que l'épouse de l'un de tes amis chasseurs est une connaissance de cette dame. Elle a appris que celle-ci cherchait une location. C'est une merveilleuse coïncidence, tu ne trouves pas ? Elle avait essayé partout sans succès.

Naturellement ! A quoi cette femme s'attendait-elle, en s'y prenant à la dernière minute ? songea Riley. Décidément, il ne partageait pas du tout l'avis de sa mère. Cette coïncidence n'avait rien de merveilleux et se révélait plutôt un malheureux concours de circonstances. Quant au soi-disant ami chasseur qui avait déniché cette Miss Arizona, il pouvait dire adieu à ses prochaines vacances au Canada !

Devant l'air buté de son fils, Mary avait insisté :

— Riley, ne sois pas si dur. Cette pauvre femme était désespérée. Je l'ai senti dans sa voix. Je suis sûre que tu aurais fait la même chose, si c'était toi qui lui avais répondu.

Médusé, Riley avait fixé sa mère. Comment pouvait-elle le méconnaître à ce point ?

— Certainement pas ! Je suis d'avis qu'il faut se garder des femmes désespérées, à tout prix !

— Elle avait presque fini par renoncer à trouver de la place dans une auberge, continua Mary sans prêter attention aux remarques acerbes de Riley.

Ce dernier avait poussé un grognement. Mais aussitôt, il avait ressenti une pointe d'appréhension au creux de l'estomac. Car la cabane n'avait rien d'une auberge, il fallait l'avouer. Des souvenirs d'enfance étaient surgis du plus profond de sa mémoire. Il s'était revu, petit garçon, en compagnie de son père. Ils avaient construit ensemble cette hutte avec les rondins que son grand-père avait précieusement entassés dans la vieille grange de leur ferme. Soudain mal à l'aise, il avait songé que la construction tenait en effet plus de la grange que de l'auberge. La future locataire ne manquerait pas d'être déçue !

Mais que lui importait après tout ? Ne réagissait-il pas de manière déraisonnable, à présent ? En quoi l'aspect du chalet posait-il un problème ? L'extravagante touriste de l'Arizona, qui qu'elle fût, avait déjà commencé à contaminer son esprit rationnel. Et elle n'avait même pas encore posé le pied sur le sol canadien ! Avec un peu de chance, elle n'arriverait jamais, se prit-il à espérer. Après tout, c'était *sa* cabane !

— Je ne veux pas d'elle chez moi, avait-il affirmé avec force.

— Es-tu donc totalement insensible à l'esprit de Noël ?

Riley avait accusé le coup. Tous les muscles de son corps s'étaient violemment contractés sous l'effet de la réprimande.

Apercevant le regard soudain douloureux de son fils, Mary avait porté la main à son front :

— Oh, Riley, je suis désolée ! Mais cela fait si longtemps... Essaie d'oublier.

Oublier ? Comment aurait-il pu échapper aux souvenirs qui revenaient chaque année le hanter ?

— Tu fais comme tu veux, avait-il rétorqué. Mais je refuse de m'engager dans cette histoire.

Le chalet, construit sur une terre boisée dans les collines, au sud-est du domaine des Keenan, se dressait à l'ombre des Rocheuses, dans un endroit sauvage et désolé de la province d'Alberta. On y accédait par un chemin cahoteux, et par temps clair et sec, il fallait compter, pour l'atteindre, pas moins d'une demi-heure de voiture à partir du ranch de Riley. La route, tout en zigzags et pentes abruptes, était réservée à des conducteurs chevronnés.

Ce qui n'avait pas empêché Mary Keenan de se rendre chaque jour à la cabane dans son petit 4x4 chargé de draps propres, de rideaux neufs et de toutes sortes d'équipements dont les chasseurs qui fréquentaient l'endroit d'ordinaire n'avaient jamais éprouvé le besoin. Riley, pendant tout ce temps, s'était obstiné à ignorer l'enthousiasme que sa mère manifestait en aménageant le gîte pour ses mystérieux visiteurs de l'Arizona.

Et, un jour, il y avait eu cet appel téléphonique.

— Riley, tu ne devineras jamais ce qui s'est passé ! avait annoncé Mary d'une voix surexcitée que son fils avait identifiée comme le présage d'un désastre imminent.

Il était arrivé que le mari de son amie Myrtle avait eu le toupet de tomber malade quelques jours avant de s'envoler pour les Bahamas avec son épouse. Une autre amie de Mary avait hérité des billets d'avion, et proposé à cette dernière de partir avec elle.

— Riley, penses-tu que ce soit une bonne idée ? Cela voudrait dire que je ne serai pas là pour Noël. Tu passeras les fêtes tout seul.

Riley avait remercié le ciel à haute voix. Quel soulagement ce serait d'ignorer Noël, en toute tranquillité ! Pas de réveillon chez sa mère, qui le gavait de dinde aux marrons et l'obligeait à se montrer aimable avec une nuée de vieilles amies jacassant, rassemblées pour les festivités. Pas de cadeaux devant lesquels il devait s'extasier...

Aussi, balayant toutes les objections et les doutes de Mary, l'avait-il vivement encouragée à profiter de l'occasion pour visiter les Bahamas. Mais plus tard, après avoir préparé ses bagages, elle lui avait annoncé de sa voix la plus douce qu'il restait une petite complication.

Une complication appelée Cavell, qui arriverait sur un vol en provenance de l'Arizona.

Voilà pourquoi, tandis que sa mère sirotait des cocktails sur la plage, Riley attendait à l'aéroport de Calgary, brandissant une grotesque pancarte en carton et maudissait sa propre mère pour son sens de l'hospitalité.

Lorsqu'un nouveau flot de voyageurs franchit les portes des douanes canadiennes, Riley, la mort dans l'âme, les survola du regard, éliminant mentalement tous ceux qui ne répondaient pas aux critères établis.

Non, pas cette famille avec deux jeunes enfants. Ni ce couple du troisième âge. Et sûrement pas cette personne non plus.

C'était un petit bout de femme, mignonne comme un cœur, dont les cheveux ondulés, couleur de miel, s'échappaient d'un bonnet rouge de Père Noël. Elle disparaissait presque derrière un chariot où s'entassaient les bagages nécessaires au voyage de toute une année.

Malgré son drôle de chapeau à pompon, Riley jugea qu'elle n'était pas femme à agir de manière impulsive. Elle avait visiblement tout prévu, sauf peut-être d'emporter un parachute. Ce devait être le genre de femme à peser longuement toutes les éventualités avant de prendre la moindre décision. En tout cas, elle ne semblait pas le genre à sauter dans le premier avion pour aller chercher de la neige dans un pays étranger !

La jeune femme était accompagnée d'un petit garçon à qui elle s'efforçait d'offrir un visage enjoué. Pourtant, sous son sourire, elle avait l'air aussi fatiguée qu'inquiète, Riley le devinait.

C'étaient des femmes comme elle, qui réveillaient fâcheusement l'instinct protecteur des hommes, songea-t-il. Elle paraissait fragile et vulnérable, encore que prête à sortir ses griffes, comme un chaton, si on lui en avait fait la remarque.

Certes, Riley aurait dû guetter les Cavell en cet instant, mais quelque chose dans l'inconnue retenait son attention et, bien qu'il tentât de détourner son regard, il ne pouvait se défendre de chercher à définir ce qui, en elle, l'attirait.

Elle était jolie, mais sans plus. Ses vêtements, à part le ridicule chapeau rouge vif, semblaient avoir été délibérément choisis pour l'enlaidir. Elle portait un tailleur beige, d'une couleur qui rappelait le porridge ; son pantalon était tout froissé. L'ensemble la faisait ressembler à un enfant qui veut paraître plus mûr que son âge, ou encore à une bibliothécaire en excursion.

Rien qui justifiât qu'on lui accorde un deuxième coup d'œil.

S'avisant tout à coup qu'il continuait à dévisager l'inconnue malgré lui, Riley secoua la tête, stupéfait de s'y être arrêté plus d'une seconde. Sans doute vivait-il depuis trop longtemps en solitaire.

Lorsqu'il vit la jeune femme s'immobiliser et jeter des regards inquiets autour d'elle, Riley ressentit la désagréable morsure du doute ébranler sa certitude qu'il ne pouvait pas s'agir de sa locataire. Il adressa au ciel une requête silencieuse. « Pourvu que ce ne soit pas elle ! Faites qu'elle ne s'appelle pas Bethany Cavell ! » supplia-t-il en son for intérieur.

Mais le ciel n'entendait guère se montrer à l'écoute de ceux qui lui adressaient des prières si occasionnelles.

Riley s'obligea à détourner les yeux et se mit à balayer l'assistance du regard. Se trouvait-il ici deux personnes susceptibles de porter les prénoms de Bethany et de Jamie ? Il s'était déjà forgé l'image d'une tante d'âge moyen, à l'allure excentrique, et d'un enfant effronté et trop gâté.

A quelques mètres de là, une femme semblait répondre à ladite description. Enveloppée dans un manteau de fourrure, elle tenait le menton fièrement relevé et tirait par la main un adolescent boudeur. Mais, lorsque Riley agita son panneau dans sa direction, elle le toisa avec dédain.

Décidément, Riley Keenan tenait les aéroports en horreur !

Il hasarda de nouveau un coup d'œil vers la bibliothécaire en pantalon couleur porridge. Elle tourna la tête vers lui, ses yeux agrandis par l'anxiété scrutant la foule. Et elle le vit. Son regard accrocha le sien le temps d'un éclair et Riley sentit un pincement au creux de l'estomac.

La jeune femme dut éprouver un choc similaire car elle baissa vivement la tête et fixa ses pieds, en proie à un trouble visible. Puis, après s'être composé un visage digne, elle releva la tête… et aperçut la pancarte.

Riley lutta contre une envie irrésistible de dissimuler le panneau derrière son dos et de s'enfuir en courant.

Une lueur de désarroi étincela dans les yeux de la jeune femme tandis que son regard glissait de l'écriteau à l'homme qui le tenait.

Ce dernier lut distinctement dans les pensées de la visiteuse. Elle devait, en cet instant précis, implorer le ciel de changer le nom inscrit sur le carton. Mais le ciel avait déjà fermé le bureau des réclamations pour ce soir, Riley le savait.

Manifestement, un mètre quatre-vingt-cinq de cow-boy à l'état brut ne correspondait pas aux espérances de la jeune dame. C'était au moins un avantage qu'il avait sur elle ; il s'attendait déjà à être mécontent de la personne qu'il rencontrerait à l'aéroport.

La voyageuse s'absorba de nouveau dans la contemplation de ses chaussures. De toute évidence, elle évaluait les options qui s'offraient à elle. Elle jeta un regard en arrière, en direction du poste de contrôle douanier, mais les portes closes affichaient clairement : *Défense d'entrer.* Qu'imaginait-elle pouvoir faire, dans l'hypothèse qu'elle réussît à franchir ces portillons ? Embarquer dans le premier avion et exiger qu'on la ramenât à Tucson ?

Riley patienta, partagé entre l'amusement et l'irritation.

Le petit garçon, levant les yeux vers la jeune femme, se mit à la tirer par la manche, mais rien n'y fit. Elle demeurait indécise. L'enfant fouilla alors les alentours du regard. Il pressait contre sa poitrine un ours en peluche coiffé du même bonnet rouge que l'inconnue.

C'est alors que l'enfant aperçut Riley et le dévisagea avec curiosité. Puis, il vit le panneau. Et, bien qu'il ne parût pas assez âgé pour savoir lire, il sembla reconnaître les lettres familières de son propre nom. Il plissa les yeux en épelant en silence l'inscription tracée au feutre noir.

Une lueur comme Riley n'en avait jamais vue illumina soudain le visage du garçonnet, l'un de ces regards que les enfants réservent aux champions de base-ball ou au Père Noël. Mais à un étranger ? A un cow-boy renfrogné qui honnissait sa propre mère ? Les traits du petit reflétaient cependant une telle pureté que Riley se sentit gêné d'être l'objet d'une adoration dont il se savait indigne.

Le garçon lâcha la main de la jeune femme et se mit à courir, se frayant un chemin à travers la foule compacte des voyageurs. Il s'arrêta pile devant Riley et le contempla avec une admiration respectueuse.

— Qu'est-ce que tu veux ? demanda Riley d'une voix bourrue.

— C'est toi qui dois nous emmener ! annonça l'enfant triomphalement.

Et sur ces mots, il entoura Riley de ses petits bras et se serra contre lui, malgré les efforts désespérés de celui-ci pour se dégager.

Décontenancé, le cow-boy murmura entre ses dents :

— Tu n'agirais pas ainsi avec moi si tu pouvais lire dans mes pensées, mon garçon !

Beth avait remarqué l'imposant cow-boy dès qu'elle avait franchi la douane. Comment aurait-elle pu l'ignorer ? L'homme dominait la foule, haut et solide comme un roc, totalement insensible à la vague d'agitation qui déferlait autour de lui.

Jamie saisit la main de sa tante.

— C'est ici le Canada ? demanda-t-il, déçu. Ça ressemble à chez nous.

Beth était épuisée. Jamie et elle s'étaient levés à 5 heures du matin, le vol avait été retardé à plusieurs reprises et elle n'avait aucune idée de l'endroit où Mme Keenan devait les rejoindre, ni des kilomètres qu'il leur faudrait encore parcourir avant d'atteindre leur destination finale.

Ivre de fatigue, elle s'était mise à réfléchir à ce que ce petit voyage avait coûté à son compte en banque et se sentit une fois de plus totalement stupide. N'avait-elle pas commis une erreur gigantesque ?

Son regard avait été attiré une nouvelle fois par le cow-boy. Avec ses bottes et son blue-jean délavé, sa veste en peau de mouton et son chapeau à larges bords planté bas sur son front, l'homme irradiait une force virile brute, à la fois fascinante et inquiétante. Dans l'ombre de son chapeau, elle discernait à peine son visage : mal rasé, les traits burinés, les pommettes hautes, les lèvres serrées par une moue sévère et inflexible. Difficile d'admettre qu'un homme d'aspect aussi fruste pût se révéler aussi attirant ! Mais force était de reconnaître qu'une part d'elle-même avait instinctivement vibré à la vue de cet homme.

Toutefois, elle avait l'excuse de l'extrême fatigue qui embrumait son esprit, se dit-elle.

Tandis qu'elle l'observait, le regard sombre de l'inconnu avait parcouru la foule et s'était soudain arrêté sur elle. Et, pour comble de malheur, elle s'était trouvée incapable de détourner les yeux, tant elle se sentait impressionnée par la force qui émanait de cet homme. *Et par son charme*, ajouta une petite voix au fond d'elle-même.

Elle avait rougi, puis fixé son attention sur le bout de ses chaussures. Elle avait la charge de Jamie désormais, s'était-elle rappelé avec raideur. En outre, elle venait de recevoir bien malgré elle une rude leçon sur l'inconstance et l'égoïsme des hommes. Il n'était donc pas question d'oublier qu'elle avait fait vœu de chasteté, vœu assorti d'une promesse de ne jamais plus se lier avec un représentant du sexe opposé, afin de se consacrer entièrement à son neveu, jusqu'à la majorité de ce dernier.

Mais, en dépit de ses bonnes intentions, elle n'avait pu détacher son regard du cow-boy. Et, lorsqu'elle avait enfin remarqué l'écriteau qu'il portait à bout de bras, elle avait eu l'impression que le sol se dérobait sous ses pieds.

Non, impossible ! C'était à une certaine Mme Keenan, qu'elle avait loué un chalet, pas à Monsieur Univers ! Une fois de plus, elle avait agi sans réfléchir : elle se retrouvait seule et désemparée dans un pays étranger, avec un petit garçon confié à sa garde, devant un homme qui… Cependant, il était hors de question de suivre cet inconnu !

« Pourquoi pas ? intervint la petite voix. Il a l'air solide et déterminé. C'est tout à fait ce dont tu as besoin en ce moment. »

« Un homme comme ça, répliqua-t-elle pour elle-même, serait capable de convaincre une femme qu'il est normal de se sentir faible et vulnérable. » Ce n'était vraiment pas l'exemple, le modèle dont Jamie avait besoin pour s'épanouir. Depuis plus d'un an, elle s'efforçait de présenter au petit garçon l'image d'une femme forte ; elle parvenait même parfois à s'en persuader elle-même.

Elle avait rassemblé ses esprits, et tenté d'examiner calmement la situation. Son regard s'était arrêté une seconde sur le portillon de la douane. Rebrousser chemin ? Impossible, évidemment ! Mais il y avait toujours la possibilité de louer une chambre d'hôtel pour la nuit et de reprendre le premier avion pour Tucson dès le lendemain… Et de briser ainsi le cœur de Jamie en lui démontrant qu'il ne pouvait pas lui faire confiance pour remplir un rôle aussi modeste que celui d'agent du Père Noël !

Peut-être Beth devait-elle tout simplement reconnaître que son destin était scellé depuis la minute où elle avait ouvert la lettre adressée au pôle Nord.

C'était sur le chemin de la poste qu'elle s'était brusquement arrêtée, prenant tout à coup conscience qu'elle était sur le point d'envoyer une lettre à quelqu'un qui n'existait pas. Puis une pensée lui avait traversé l'esprit. C'était elle, le Père Noël pour Jamie, dorénavant ! Cependant, elle avait éprouvé un certain remords en ouvrant la missive, comme si elle faisait désormais partie du vaste complot destiné à tromper la confiance des enfants. En parcourant la lettre, elle s'était laissée tomber sur le rebord du caniveau, n'en croyant pas ses yeux.

Un papa ?

Comment son neveu adoré pouvait-il lui faire ça ? Elle qui était encore débutante parmi les recrues du Père Noël ? Jamie ne savait-il pas qu'il était supposé demander un gant de base-ball, un ballon, ou l'un de ces robots dont la vendeuse lui avait assuré qu'ils étaient très en vogue cette année ?

Sa sœur Penny et elle avaient élevé Jamie ensemble depuis sa naissance. Certes, tous trois ne formaient pas ce que l'on appelle une famille traditionnelle, mais c'était un foyer tout de même. L'enfant avait toujours semblé en sécurité, comblé par l'amour des deux femmes, Penny, sa maman, et sa tante Beth.

Le seul homme susceptible de remplir le rôle de père avait été Sam, le petit ami de Beth. Mais Jamie, sensible à l'authenticité, ne l'aimait pas. Et la profondeur des sentiments de Sam envers Beth s'était avérée aussi authentique qu'un billet de trois dollars, lorsque, après la mort de Penny, il avait placé la jeune femme devant une alternative charmante :

— C'est lui ou moi !

Comment avait-il pu imaginer qu'elle hésiterait une seconde entre un homme mûr et un petit garçon orphelin ! Qu'elle préférerait un homme égoïste au point de lui imposer un tel choix à son neveu, un enfant qui n'avait plus qu'elle au monde !

La lettre entre les mains, Beth avait passé en revue toutes les possibilités. Un papa n'était absolument pas envisageable. Mais, puisque Jamie ressentait un si cruel manque de présence masculine, elle lui chercherait un parrain. La mort dans l'âme, toutefois. Quelle trahison ! Elle s'était donné tant de mal pour être tout pour lui — parties de base-ball, balades à bicyclette, jeux de garçons...

Quant au second vœu, il posait un problème autrement embarrassant. Ce n'était en effet pas uniquement de la neige que Jamie réclamait, c'était une preuve que Penny veillait toujours sur lui.

A la réflexion, l'enfant n'avait fait qu'exprimer les désirs qu'elle-même nourrissait. De toutes ses forces, Beth souhaitait recevoir un signe que sa sœur, qui avait toujours été la plus solide des deux, se tenait à ses côtés et ne l'abandonnerait jamais.

Mais de la neige pour preuve ? La requête n'était après tout pas si difficile à satisfaire. L'hiver approchait et, dans de multiples régions du monde, la neige tombait en décembre. Pas à Tucson, certes ! Mais la solution était plus facile à trouver pour cette question que pour celle du papa.

Beth Cavell ne se sentait pas l'âme d'une aventurière. Elle possédait un esprit prudent et un sens certain des responsabilités. Pas timorée, se rassurait-elle, simplement un peu plus mature que son âge.

Aussi avait-elle été la première surprise lorsqu'elle s'était rendu compte que la mission la plus importante de sa vie consistait dorénavant à procurer de la neige à Jamie pour Noël. Oui, dût-elle y dépenser son dernier centime, elle engagerait toutes ses forces dans l'entreprise.

Et c'était pour chercher de la neige qu'elle se trouvait maintenant dans l'aéroport d'une ville étrangère, dévisageant un inconnu qui, semblait-il, tenait son destin entre ses mains puissantes.

Lorsque Jamie, sans prévenir, s'était élancé à travers le flot des voyageurs, elle n'avait pu que le suivre des yeux, impuissante. Après un moment d'hésitation, elle lui avait emboîté le pas, mais, dès qu'elle avait vu le petit garçon se jeter contre la massive silhouette du cow-boy et l'entourer de ses bras, une vague de panique l'avait submergée.

Quelle horreur ! Jamie devait être persuadé que le Père Noël avait répondu à ses vœux et lui avait envoyé un papa. Comment lui faire comprendre son erreur sans lui avouer qu'elle avait lu sa lettre ?

Il fallait pourtant prendre une décision. Tout à coup, Beth prit conscience du regard scrutateur que l'homme posait sur elle. Le regard froid et dur de quelqu'un qui paraissait aussi peu satisfait des circonstances présentes qu'elle l'était elle-même.

Beth aurait volontiers pris en grippe l'étranger, n'eût été la minuscule étincelle d'affolement qu'elle lut dans ses yeux gris alors qu'il tentait de se libérer de l'étreinte de Jamie.

D'une voix grave, posée, et diablement sensuelle, l'homme se présenta :

— Madame Cavell, je suis Riley Keenan, le fils de Mary. Ma mère a dû s'absenter. Elle m'a chargé de vous conduire au chalet.

Ainsi réussit-il, en quelques mots, à signifier à Beth sans ambiguïté que c'était contre son gré qu'il jouait les chauffeurs pour touristes.

— Je suis mademoiselle Cavell, rectifia-t-elle, s'avouant à sa grande honte le besoin irrésistible de lui signaler son statut de célibataire.

Tu as renoncé aux hommes ! se houspilla-t-elle intérieurement, *surtout aux hommes comme lui.*

Le cow-boy repoussa doucement Jamie et tendit la main à Beth d'un geste tranquille. Sa peau était tiède et rugueuse, sa poigne puissante. Et *diablement sensuelle*!

Beth décida qu'il était encore trop tôt pour déclarer que ce voyage tournait au cauchemar.

Après avoir examiné le contenu du chariot, Riley s'en empara.

— Je dois m'estimer heureux que vous ne comptiez pas rester plus d'une semaine, grommela-t-il.

— J'ai été obligée d'emporter toutes mes décorations de Noël, rétorqua-t-elle, aussitôt sur la défensive.

Il ne se donna pas même la peine de répondre, et elle le regarda s'éloigner. Peut-être n'était-il pas impensable, après tout, que ces vacances canadiennes virent au désastre !

Jamie saisit la main de sa tante et, sautillant à ses côtés, se mit à fredonner de joyeuses petites comptines. Ils pressèrent le pas pour rattraper leur guide, déjà en route vers la sortie du terminal.

Sur le seuil des portes automatiques, Jamie se figea, huma l'air, et balaya le paysage d'un regard incrédule.

— Mais, tante Beth, articula-t-il lentement, il n'y a pas de neige ici !

Riley Keenan s'arrêta et leur jeta un coup d'œil impatient par-dessus son épaule.

— Il y a un problème ?

— Où est la neige ? demanda Beth d'un ton désespéré.

— Le chinook a soufflé très fort la nuit dernière. Il peut faire fondre un tas de neige en quelques minutes.

— Y a-t-il de la neige aux alentours du chalet ? s'enquit Beth, s'efforçant de ne pas montrer qu'elle était au bord des larmes.

Mais Riley ne fut pas dupe. Il scruta le visage de la jeune femme puis celui, bouleversé, de l'enfant, observa le ciel et flaira le vent.

— Nous avons un dicton ici : si vous n'aimez pas le temps qu'il fait, attendez cinq minutes.

Et, sur ces paroles, il repartit vers le parking.

Ce qui, en clair, signifiait qu'il n'y avait pas de neige au chalet !

Beth agrippa la main de Jamie et ensemble ils sautèrent à pieds joints par-dessus une flaque qui, la veille encore, devait être de la neige. Elle s'estima désormais en droit d'officialiser la nouvelle pour elle-même : leurs vacances de Noël prenaient des allures de catastrophe !

2.

— Qu'il est beau, ce camion ! s'exclama Jamie admiratif.

Devant l'enthousiasme du garçonnet, Beth essaya de dissimuler sa perplexité, tandis que Riley haussait un sourcil d'un air légèrement sarcastique — grimace qui, loin d'altérer sa séduction, le rendit encore plus fascinant.

La camionnette de Riley Keenan ressemblait en tous points à une véritable voiture de cow-boy : couverte de boue, décrépite et toute cabossée. Beth se prit à espérer que le propriétaire du véhicule ne causerait pas de peine à Jamie en dédaignant sa remarque.

D'un ton bourru, Riley répondit :

— Il m'est très utile dans mon travail.

Et, sans un mot de plus, il commença à jeter les bagages sur la plate-forme arrière avec une brusquerie qui fit sursauter la jeune femme.

— Doucement ! Ces paquets contiennent des objets très fragiles.

Elle regretta immédiatement la timidité de son ton. A sa place, Penny aurait dit : « Je vous préviens, si vous cassez quelque chose, vous n'aurez pas de pourboire ! »

Un pourboire ? Beth lança au cow-boy un coup d'œil furtif. Une fois parvenus à destination, serait-il approprié de lui donner un pourboire ? La question, si triviale fût-elle, lui noua l'estomac. Décidément, elle n'était pas faite pour les grands voyages !

— Si les bagagistes n'ont pas réussi à les casser, je ne vois pas pourquoi j'y arriverais, répliqua-t-il, la mine renfrognée.

Jamie, qui, pendant ce temps, avait essuyé les côtés du camion avec ses manches, poursuivit ses commentaires :

— Qu'est-ce qui est écrit, là ?

— Ranch de la corniche, répondit Beth en plissant les yeux pour déchiffrer les mots peints sur la carrosserie.

— C'est un vrai ranch ?

— Bien sûr ! marmonna Riley.

D'un geste agacé, il leur ouvrit la portière côté passager, laquelle, contrairement à ce qu'avait imaginé Beth, n'était pas verrouillée. Aussi, bien que le visage de Keenan demeurât impassible, la jeune femme détecta dans ses yeux le mécontentement de devoir se comporter en chauffeur.

Ceci excluait naturellement toute idée de pourboire.

Jamie grimpa dans la cabine, et s'installa au milieu du siège. A contrecœur, Beth le suivit. Sa dernière occasion de tout annuler s'envolait.

Tandis que Riley prenait place sur le siège du conducteur et empoignait le levier de vitesse, Beth coula un regard oblique sur sa manche retroussée, et ne put se défendre de remarquer les muscles saillants de son avant-bras. Consternée d'avoir prêté attention à un détail aussi prosaïque, elle détourna les yeux et s'absorba dans la contemplation du paysage. Etrangement, une senteur agréable flottait à l'intérieur de la camionnette ; un mélange de cuir, de pin, et de quelque chose qu'elle n'arriva pas tout de suite à identifier. Si ! c'était une odeur d'homme !

Avec soulagement, elle accueillit la diversion fournie par Jamie :

— Un vrai ranch avec des chevaux et des vaches ?

— Oui, répondit laconiquement Riley.

Sa voix profonde et grave produisit sur Beth le même émoi que l'aspect puissant de son bras et de son poignet. « Je suis trop fatiguée », songea-t-elle pour se justifier.

Le soir commençait à tomber. Dans le lointain, des gratte-ciel se découpaient contre les dernières lueurs du ciel crépusculaire. La route défilait, interminable, à travers des plaines onduleuses, totalement dépourvues d'arbres… et de neige !

A mesure qu'ils approchaient de la ville, Beth remarqua des rangées de petites maisons à l'aspect confortable et douillet, entourées de minuscules jardins. Que n'aurait-elle donné, pour un jour quitter le mobile home où Jamie et elle vivaient, et s'installer dans une maison semblable !

Poursuivant le cours de ses pensées, Jamie interrogea :

— Est-ce que le chalet est près des chevaux et des vaches ?

— Non.

— Tu sais, je ne suis jamais monté dans un camion ! s'exclama l'enfant, nullement découragé par le mutisme du cow-boy.

— Ce ne doit pas être très différent d'une voiture, répondit Riley, pour couper court à la conversation.

Irritée, Beth esquissa une moue. Certes, Keenan venait de prononcer une phrase entière ; mais pas une réponse. Etait-ce si compliqué de manifester quelque gentillesse à l'égard d'un petit garçon heureux de découvrir un nouveau pays ?

D'un geste protecteur, elle entoura de son bras les épaules de son neveu et lui demanda :

— Tu as faim, Jamie ?

Riley lui décocha un regard peu amène avant d'intervenir :

— Voulez-vous que l'on s'arrête pour manger ?

Son ton laissait entendre clairement que, si elle s'avisait de répondre par l'affirmative, elle compromettrait gravement la suite de son voyage.

— Non, mais j'ai besoin de faire quelques emplettes.

— Ma mère vous a laissé un stock de nourriture, répondit-il d'un ton sec.

Sa mère ! Difficile d'imaginer que cet homme pût avoir une mère ! Il devait plutôt avoir été élevé dans une grotte, parmi les loups. Comment Riley Keenan pouvait-il avoir une mère aussi charmante que la femme avec laquelle Beth avait conversé par téléphone ?

Il enchaîna :

— Croyez-moi, si ma mère a dit qu'elle s'occupait des provisions, cela signifie qu'elle a prévu de quoi nourrir une demi-douzaine de personnes pendant un an. Elle n'a pas quitté ses fourneaux depuis que vous l'avez appelée.

Intriguée, Beth médita ces dernières paroles. Une parfaite étrangère avait cuisiné pour Jamie et elle… alors que cet homme n'avait même pas la patience de s'arrêter quelques minutes, pour la laisser faire des courses !

Découragée, elle fut saisie d'une brusque envie de capituler. Tout ce qu'elle voulait, c'était arriver au chalet et oublier Riley Keenan. Mais elle se ressaisit rapidement.

Du temps où elle fréquentait Sam, jamais elle ne lui avait tenu tête, ni exprimé ses convictions, estimant que le contentement de son petit ami passait avant sa propre satisfaction. Mais où sa gentillesse et sa docilité l'avaient-elles menée ? Cela n'avait fait que convaincre Sam qu'elle plaçait son bonheur à lui au-dessus de celui de Jamie.

Il était grand temps de s'affirmer, songea-t-elle.

— M. Keenan, j'ai besoin d'effectuer quelques achats. Jamie et moi avons nos petites traditions. Il me faut acheter certaines victuailles pour lui donner l'impression que nous passons Noël comme à la maison.

Riley se tourna vers elle et la considéra d'un air qui la fit frissonner. Il ne proféra aucune parole, gardant les lèvres crispées, mais son regard, gris et profond comme un lac gelé, en disait long : *Si vous vouliez passer Noël à la maison, il fallait rester chez vous !*

Décontenancée, Beth retira son bonnet rouge. C'était Jamie qui l'avait persuadée de l'acheter à l'aéroport de Tucson. Un chapeau pour elle, et un pour Buddy Bear. Sur le moment, elle avait estimé que l'idée pouvait être acceptée par une femme qui se donnait tant de peine pour jouer les Pères Noël.

Elle se rendait compte à présent que cette coiffure interdisait qu'on la prît au sérieux.

— Cela vous pose un problème, que Jamie et moi habitions dans le chalet de votre mère pendant quelques jours ? demanda-t-elle d'une voix acerbe.

— En réalité, cette cabane n'appartient pas à ma mère. C'est la mienne.

Penny aurait rétorqué que ce détail ne changeait pas les termes de leur contrat. Mais Beth était lasse.

— Souhaitez-vous que nous annulions ? répondit-elle seulement.

Pendant quelques interminables secondes, le cow-boy garda le silence. Puis, après un coup d'œil furieux dans son rétroviseur, il finit par laisser tomber :

— Non, bien sûr que non.

Ce qui, de toute évidence, relevait du mensonge. Mais n'était-il pas plutôt rassurant que l'homme fût un si piètre menteur ? Beth fourra le bonnet à pompon dans sa poche, prit une profonde inspiration et s'exclama avec une ironie non dissimulée :

— Bienvenue au Canada ! C'est un plaisir de vous accueillir.

Riley la fusilla du regard. Elle aurait pu apprécier les efforts qu'il déployait pour se montrer un tant soit peu aimable !

Désireux de détendre l'atmosphère qui régnait dans la camionnette, Jamie détourna la conversation :

— Il faut acheter des mini-dindes. Maman, tante Beth et moi, nous mangeons toujours des mini-dindes pour Noël.

— Des mini-dindes ? interrogea Riley qui regretta aussitôt sa question.

— Oui, des bébés dindes. On en mange une chacun. Mais ma maman n'est pas là cette année.

— Où est-elle ? ne put se retenir de demander Riley.

De nouveau, Beth sentit la réticence du cow-boy à manifester le moindre intérêt pour ses deux visiteurs, mais du moins s'efforçait-il désormais de cacher son mécontentement.

Le plus naturellement du monde, Jamie répondit :

— Elle est au ciel.

L'espace d'un instant, un lourd silence pesa à l'intérieur de la cabine. Beth lança un regard en coin vers le cow-boy. Celui-ci gardait les yeux rivés sur la route devant lui. Elle vit une ombre passer sur son visage, les muscles de sa mâchoire se crisper convulsivement. Sans doute garderait-il pour lui ses réflexions, en ours solitaire qu'il était.

Cependant, Riley n'en fit rien et, lorsqu'il finit par prendre la parole, sa voix avait perdu toute dureté.

— Je suis désolé pour toi, fiston. C'est triste.

Beth sentit l'enfant tressaillir. *Fiston* ! Elle ferma les yeux. S'il avait voulu le faire exprès, Riley n'aurait pas trouvé un mot plus à même de compliquer les choses. C'était précisément ce que Jamie souhaitait de tout son cœur : un homme qui l'appelle fiston.

— Oui, c'est très triste, approuva le garçonnet avec gravité.

Et sur ces mots, il bâilla et appuya sa tête sur le bras du cow-boy.

Le geste n'augurait rien de bon. Quel mauvais présage, que son neveu se reposât sur l'épaule d'un étranger, plutôt que sur la sienne ! Un étranger qui, dans l'esprit de l'enfant, pouvait apparaître comme le papa qu'il avait commandé au Père Noël, et qui venait en outre de renforcer cette conviction en utilisant le mot fiston à mauvais escient.

Oh, Jamie ! voulut-elle crier, ne vois-tu pas que Riley Keenan n'est pas du bois dont on fait les papas ?

Bien que Riley n'eût pas repoussé le petit garçon, il se tenait avec raideur, visiblement mal à l'aise. Dans un crissement de pneus, il s'engouffra sur le parking du premier supermarché ouvert.

Beth sortit de la camionnette, suivie de Jamie, impatient de choisir sa « mini-dinde ». Mais, à sa consternation, elle entendit ce dernier s'adresser au cow-boy d'une voix hésitante, tout en lui tendant son ours :

— Nous revenons tout de suite. En attendant, tu veux bien surveiller Buddy Bear ?

Beth retint son souffle. Jamie ne s'était jamais séparé de son compagnon en peluche depuis la mort de Penny. L'enfant semblait à présent prêt à franchir une étape importante dans son retour à une vie émotionnelle normale, et elle s'en sentait exclue.

Dieu merci, Riley trouva les mots appropriés :

— Non, désolé, je ne suis pas très doué pour m'occuper des ours en peluche.

Soulagé, Jamie cala son compagnon sous son bras et saisit Beth par la main. Ils avaient à peine fait quelques mètres que la voix de Riley les arrêta :

— Attendez, vous avez oublié votre sac !

Les joues cramoisies, Beth revint sur ses pas et croisa une femme qui, la tête tournée vers Riley, semblait captivée par ce dernier au point de manquer faire basculer son Caddie contre le rebord du trottoir. Sans y prêter la moindre attention, le cow-boy,se pencha vers elle.

— J'ai peur que nous n'ayons pas de mini-dindes au Canada, chuchota-t-il en jetant un coup d'œil vers Jamie.

Dans son regard, Beth crut distinguer une lueur d'humanité. Or, s'il y avait une chose qu'elle ne souhaitait plus, désormais, c'était bien de découvrir que Riley Keenan n'était pas que froideur, rugosité et force brute.

— La plupart des gens appellent ça des cailles, souffla-t-elle en confidence.

Riley s'écarta, scruta le visage de Beth un instant. Puis un léger frémissement étira ses lèvres. Il sourit.

— Oh, je vois…

Beth s'écarta vivement et trébucha sur le même trottoir qui avait failli faire tomber la femme avec son chariot. Et pour les mêmes raisons ! Le sourire de cet homme ressemblait à une étincelle surgissant des ténèbres, à une lueur d'espoir pour un marin perdu en mer.

Je ne suis pas perdue, se dit-elle, encore que l'image d'un bateau en perdition correspondît assez bien à ce qu'elle éprouvait depuis que la disparition de sa sœur l'avait jetée dans un monde qu'elle ne se sentait pas prête à affronter seule. Penny et elle avaient toujours formé une équipe dont Penny tenait la barre.

Beth se ressaisit et concentra son attention sur les rayons du supermarché, lequel se révéla une réplique presque exacte de ce qu'elle trouvait à Tucson. Aussi fut-ce sans difficulté qu'elle trouva des « mini-dindes » au rayon des viandes congelées.

Pendant que Jamie examinait soigneusement les volailles avant de faire son choix, Beth essaya de chasser de son esprit l'image de l'homme qui les attendait dans le pick-up. Elle l'imagina, martelant le volant avec impatience. Il n'était sans doute pas le genre que l'on faisait attendre…

Après un long moment d'hésitation, Jamie plaça dans un panier les trois cailles sélectionnées.

— Celle-ci est pour toi, celle-là pour moi, déclara-t-il avec autorité. Et l'autre, pour lui.

— Jamie, nous n'en avons besoin que de deux. M.Keenan ne dînera pas avec nous le soir de Noël.

— Pourquoi pas ?

— Nous le connaissons à peine, expliqua Beth en reposant en rayon l'une des volailles. Et puis, il doit sûrement passer le réveillon autre part.

— Tu crois ? insista Jamie, déconfit.

Beth, se remémorant les termes de la lettre de Jamie, sentit son cœur se serrer. Comment dissuader l'enfant d'abandonner ses espoirs en ce qui concernait Riley Keenan ?

— Nous formons une famille, maintenant, toi et moi.

Le petit garçon la fixa tristement. Puis, son visage s'éclaira, comme s'il venait de se souvenir d'un secret qu'il était seul à connaître. D'un geste résolu, il s'empara de nouveau d'une volaille et claironna :

— Juste au cas où, tante Beth ! Il pourrait y avoir un miracle pour Noël.

Beth considéra le minuscule oiseau congelé, improbable symbole d'espoir.

— Entendu, Jamie, on ne sait jamais.

Ils achevèrent leurs emplettes avant de regagner le parking et de se lancer dans la grande aventure qui les attendait.

Mais à peine parvinrent-ils à la camionnette que la poignée du sac en papier se rompit ; tout le contenu se répandit sur le sol bétonné. Et, avant que Beth ait eu le temps de réagir, Riley surgit derrière elle et entreprit de l'aider à ramasser ses provisions. Elle se sentit de nouveau rougir jusqu'aux oreilles et, lorsque l'épaule du cow-boy frôla la sienne, elle rendit grâce à l'obscurité qui avait envahi le ciel.

Riley se figea, fixant d'un air incrédule un sachet de pop-corn pour four à micro-ondes.

— Vous avez été prévenue qu'il n'y a pas l'électricité dans la cabane, n'est-ce pas ?

— Bien sûr, rétorqua Beth, lui arrachant le sac des mains.

Mais, sous le regard scrutateur de Riley, elle comprit qu'elle n'était pas plus douée que lui pour mentir.

— Vous ne préférez pas acheter des grains de maïs ordinaires ? insista-t-il.

Beth resta interdite un court instant. Tout compte fait, elle détestait encore plus les efforts qu'il faisait pour se montrer poli.

Elle fronça les sourcils. *Pas d'électricité ?*

— Jamie et moi utilisons le pop-corn spécial micro-ondes sur une cuisinière ordinaire, déclara-t-elle crânement.

Pourquoi diantre continuait-elle à mentir ? Certes, il n'était pas question de lui avouer qu'elle avait à peine préparé ce voyage. Elle était après tout une femme prudente, jamais prise au dépourvu. Du moins était-ce l'image qu'elle voulait lui donner. Manifestement, il n'était pas le genre d'homme à goûter les lubies de qui que ce fût, et elle brûlait d'envie de lui prouver qu'elle n'était pas accoutumée à agir par caprice. Ce qui, il fallait bien l'avouer, signifiait qu'elle quêtait son approbation.

Tandis que, sans un mot, Riley ramassait les volailles une par une, Beth vit son front se plisser. Mais il ne broncha pas, récupéra le reste des provisions, et les déposa à l'arrière de la camionnette.

Indécise, Beth grimpa sur la banquette, derrière Jamie. Pas d'électricité ! Encore une bonne excuse pour annuler cette expédition ! Il suffisait de demander à leur hôte de les mener à l'hôtel le plus proche.

Cependant, sa fierté ne lui permettait pas de reculer. Elle releva le menton, claqua la portière et recoiffa son bonnet à pompon.

— Allons-y, ordonna-t-elle résolument.

Les mains crispées sur le volant, Riley réfléchissait. Trois mini-dindes ! A moins que Jamie fût véritablement un gros mangeur, trois volailles ne présageaient rien de bon. Riley avait en outre le désagréable sentiment que Beth ignorait que le chalet était dépourvu d'alimentation électrique. C'était le genre de détail que sa mère avait tendance à oublier, tant son humeur devenait poétique dès qu'elle évoquait les cerfs trottant dans la prairie couverte de neige.

Pourtant, l'absence de courant électrique ne causait pas de difficulté rédhibitoire ; en tout cas, une gêne moins fâcheuse que celle occasionnée par le manque de sanitaires pendant la mauvaise saison ! Le chalet possédait un magnifique poêle à bois installé au milieu de la pièce principale. Et tous les appareils et les lampes fonctionnaient au propane. Toutefois, en jetant un regard vers la jeune femme, Riley comprit que le manque de confort, sans importance à ses yeux, pourrait se révéler contrariant pour elle.

Et puis, il y avait ce petit garçon dont la tête reposait en toute confiance sur son bras, et qui le regardait avec une adoration timide. Une onde de chaleur commença à envahir la manche de sa veste.

Sur la route, la circulation s'était faite plus intense. Riley s'efforça de se concentrer sur sa conduite et d'effacer les trois volatiles de son esprit. Si ses locataires s'avisaient de l'inviter pour le réveillon, il n'aurait qu'à refuser. Rien de plus facile, que diable ! Il avait accepté d'aller les chercher à l'aéroport et de les emmener au chalet. Ce qui se passerait ensuite n'appartenait plus au domaine de sa responsabilité. L'arrêt au supermarché devait déjà être considéré comme ne faisant pas partie de son contrat.

Riley jeta un regard furtif vers Beth, dont les traits semblaient fermés, et se sentit soulagé. Il n'avait rien à craindre. Vraisemblablement, cette femme ne demanderait jamais à un étranger de partager son dîner de Noël.

L'enfant, par contre, posait un problème épineux ! Il se tenait si tranquille que Riley l'avait cru endormi. Pourtant, à la faible lueur du tableau de bord, il s'aperçut que le petit garçon gardait les yeux rivés sur lui, comme s'il était Superman en personne.

— Qu'y a-t-il ? demanda-t-il, sur la défensive.

— Qu'est-ce que c'est, les marques sur ton cou ? demanda Jamie à voix basse.

Riley releva le col de sa chemise, puis cclui de sa veste. C'était une question à laquelle il détestait répondre.

— Des brûlures, grommela-t-il.

— Jamie, intervint la tante de l'enfant, ce n'est pas poli de poser des questions comme ça aux gens.

Riley lui décocha un regard noir. Avait-elle vu ses cicatrices ? Etait-elle dégoûtée ? Mais que lui importait, après tout ? Il les conduisait, elle, le petit garçon et les trois mini-dindes, jusqu'au chalet. Ensuite, il ne les reverrait plus jusqu'au jour de leur départ.

— Comment tu t'es brûlé ? insista Jamie.

— Jamie, tais-toi ! s'exclama la jeune femme, embarrassée.

Personnellement, Riley préférait la franche curiosité de l'enfant aux regards en coin que la tante lui lançait subrepticement.

— J'ai été brûlé dans un incendie, répondit-t-il.

— Oh ! s'exclama Jamie. Tu es pompier ?

Riley soupira. Qu'il s'imagine ce qu'il veut, songea-t-il. Toutefois, le regard du petit était rempli d'une telle vénération qu'il eût été indigne de le tromper. Car, contrairement à l'opinion de toute la population de la région, il n'avait rien d'un héros, il le savait.

— Non, je ne suis pas pompier, rectifia-t-il. Je me suis juste trouvé au mauvais endroit au mauvais moment.

— Ça te fait mal ?

— Non, il y a longtemps que je ne sens plus rien.

— Buddy Bear va te faire un baiser pour te guérir, annonça l'enfant avec gravité.

Résistant à la tentation d'envoyer Buddy Bear au diable, Riley se laissa caresser le cou par le nez de l'ourson auquel Jamie prêta sa voix en imitant des bruits de baisers sonores. Par chance, l'intérieur de la cabine était sombre et personne ne put le voir devenir écarlate. Il n'avait certes pas l'habitude de ces démonstrations de tendresse !

Quelque temps après que l'ours en peluche eut terminé d'administrer ses soins, Riley sentit la tête appuyée sur son bras s'alourdir, et la respiration du garçonnet devenir profonde et régulière.

Beth s'éclaircit la gorge.

— Je suis désolée, s'excusa-t-elle, il est encore petit.

— Ce n'est rien, coupa Riley.

Quelques instants plus tard, il ralentit pour traverser le village de Bragg Creek. Le silence s'était fait pesant dans l'habitacle. Riley tourna la tête et nota que la jeune femme somnolait, les yeux fermés sous ses longs cils épais, la bouche légèrement ouverte.

Elle était belle, ainsi endormie en toute innocence. Comme un ange.

Riley eut soudain l'impression que, dans sa camionnette, il ne transportait pas moins que de l'innocence à l'état pur. Et de la tendresse. Deux qualités qu'il n'avait pas rencontrées depuis longtemps.

Lorsqu'il s'engagea sur la route qui traversait sa propriété, Beth se réveilla en sursaut.

— Nous sommes arrivés ? s'enquit-elle d'une voix ensommeillée.

— Non, nous passons devant chez moi, répondit-il en désignant du doigt sa maison éclairée de l'extérieur. Le chalet se trouve encore à une demi-heure d'ici.

— Quelle belle demeure ! murmura Beth.

Riley détecta une pointe d'admiration dans la voix de la jeune femme. A quoi s'était-elle attendue ? Croyait-elle qu'il vivait dans une masure ? Ce qui, pour dire la vérité, lui aurait parfaitement convenu.

Mais elle se trompait. Ce n'était pas d'une demeure qu'il s'agissait. Les véritables logis avaient de jolis rideaux aux fenêtres, des meubles polis par le temps, des jouets éparpillés sur le plancher et une odeur de gâteaux cuits au four.

Ceci était juste une bâtisse. Dans un passé lointain, il avait cru que sa maison posséderait un jour tout ce qui en ferait un foyer. D'ailleurs, il l'avait construite avec cette pensée en tête. Avec l'espoir que des enfants occuperaient toutes les chambres, et joueraient devant la cheminée. Un rêve qui s'était envolé en fumée. Littéralement.

« Ça ne m'amuse plus », lui avait dit Alicia en regardant ses cicatrices. Mais, à l'époque, celles-ci étaient encore rouges et sensibles, trop récentes. Alicia n'avait jamais été capable de dissimuler la répugnance qu'elles lui inspiraient.

La voix de Beth tira Riley de ses pénibles souvenirs.

— Vous vivez seul ici ? Cela semble si grand !

Coupant court à la conversation, Riley se contenta d'émettre un grognement, dont Beth comprit aussitôt la signification. De cela non plus, le cow-boy n'était pas désireux de parler.

Le chinook de la veille avait rendu boueux et difficilement praticable le chemin qui conduisait au chalet. Riley dut avoir recours aux quatre roues motrices de son véhicule pour parcourir, avec force vrombissements, la distance qui les séparait de leur destination finale.

Après une trentaine de minutes, le chalet apparut enfin, dans la lumière des phares. C'était une humble construction en rondins, nichée dans une clairière, à la lisière d'une forêt d'arbres gigantesques qui frémissaient dans le vent nocturne. Sous la lumière clignotante des étoiles, le chalet semblait baigner dans l'atmosphère enchantée d'un conte de fées. Au loin, les montagnes dressaient leur imposante masse sombre. Un calme serein enveloppait les alentours.

Riley coupa le contact, puis, laissant les phares allumés, s'empara de quelques paquets à l'arrière du véhicule, et se dirigea vers le chalet. Un rameau de sapin orné d'un énorme ruban rouge décorait l'entrée. Riley poussa la porte et disparut dans l'obscurité glacée de la maisonnette.

Avant que Beth le rejoignît, il craqua une allumette, puis ouvrit l'alimentation en propane de la lampe, suspendue au-dessus de la table de cuisine. Le gaz émit un sifflement, et bientôt, la lumière qui s'amplifiait doucement illumina la pièce.

Frappé de stupeur, Riley regarda autour de lui. Il n'en croyait pas ses yeux ! Sa rustique cabane de chasse avait été transformée en une ravissante chaumière. De petits rideaux rouges, retenus par des rubans, habillaient les fenêtres dont les vitres étaient égayées de cristaux de neige en dentelle. Un épais tapis recouvrait le sol, et la table était recouverte d'une nappe brodée aux couleurs vives.

Il entendit derrière lui la voix de Beth :

— Oh ! c'est comme dans un rêve !

Riley lui jeta un coup d'œil par-dessus son épaule. La jeune femme, les mains pressées sur ses joues, écarquillait ses grands yeux brillant d'une joie enfantine. Combien Mary aurait savouré ce moment ! songea-t-il malgré lui.

Tandis que Beth tombait sous le charme du chalet, le premier effet de surprise quitta Riley, pour laisser la place à une réflexion plus aigre. Combien sa mère avait-elle dépensé pour cette mise en scène ? Probablement plus que la location ne lui avait rapporté !

Il gagna le séjour, séparé du coin cuisine par le poêle à bois ventru, et alluma une deuxième lampe.

Encore des rideaux ! Encore de ridicules ornements de Noël ! Quand bien même il lui serait toujours possible de rendre à sa cabane son état primitif, jamais plus il ne pourrait effacer cette image de maison de poupée, désormais gravée dans son esprit.

Du coin de l'œil, il vit Beth explorer la pièce, effleurant du bout des doigts chaque objet avec une incrédulité émerveillée.

Toutes les décorations de Noël de sa mère se trouvaient là, il les reconnut. La crèche avec les trois rois mages, les chameaux et les ânes, toutes les figurines, jusqu'aux guirlandes de faux houx accrochées au plafond !

— Pas étonnant qu'elle soit partie pour les Bahamas ! murmura-t-il entre ses dents. Il ne lui reste plus rien !

— Pardon ? demanda Beth distraitement.

Riley se contenta de la fixer obstinément, comme si elle était seule responsable de la déchéance d'une cabane de chasse jadis parfaitement honorable. Il sortit d'un pas brusque pour aller chercher le reste des bagages, avec Beth sur les talons. Il ne lui restait que cinq minutes avant d'être définitivement libéré de ses obligations.

Après avoir déposé les paquets dans le séjour, il regagna la sortie et croisa Beth, titubant sous le poids de Jamie endormi dans ses bras.

« Dis bonsoir, s'ordonna-t-il à lui-même. Tu peux même lui souhaiter un joyeux Noël. Et ensuite, au revoir ! »

Mais comment laisser une jeune femme si menue et si frêle chargée d'un enfant assoupi ?

Il tendit les bras vers le garçonnet.

Beth secoua la tête avec fierté.

— J'y arrive très bien toute seule, affirma-t-elle d'un air têtu.

Or, il apparut soudain clairement à Riley qu'elle ne s'en sortirait pas. Ne serait-ce que parce qu'il devait d'abord lui montrer comment faire fonctionner les lampes et autres appareils à propane. Il était en outre à parier qu'elle ne savait pas non plus allumer un feu !

Avec un soupir, il lui enleva le petit garçon des bras et ressentit une douleur lui déchirer la poitrine, comme une blessure ancienne qui s'ouvre sous l'effet d'un choc. Il eut la brusque révélation de la vie à laquelle il avait renoncé. Jamais il ne porterait ainsi dans ses bras son propre enfant endormi, jamais il ne connaîtrait le doux plaisir de plonger ses yeux dans le regard clair d'une femme sous un ciel étoilé...

En proie à l'émotion qui le gagnait, Riley jugea urgent de s'éclipser.

Il pivota sur ses talons et porta l'enfant jusqu'au canapé sur lequel il l'allongea avec délicatesse. L'air était glacé, dans la pièce. Riley, après avoir hésité un court instant, retira sa veste et en recouvrit le petit garçon.

Puis il se redressa et, s'adressant à Beth, demanda sans trop y croire :

— Vous savez comment démarrer un feu, bien sûr ? Et utiliser les appareils à gaz ?

Devant l'air désemparé de la jeune femme, tout espoir l'abandonna. Il devait remettre sa fuite à plus tard.

3.

— Voici du papier, du petit bois, et des allumettes, énonça Riley patiemment.

Les feuilles de journal froissées s'enflammèrent à l'intérieur du poêle en fonte. Quelques secondes plus tard, Riley ravivait la flamme déjà mourante.

— Il faut souffler tout doucement, conseilla-t-il, tout en se gardant de prendre un ton de chef scout. Sinon, le feu finit par s'éteindre.

Riley avait toujours été frappé par les similitudes existant entre la délicatesse et la pondération indispensables pour allumer un feu, et celles qu'il fallait déployer pour maintenir une relation harmonieuse entre un homme et une femme. Un seul geste précipité pouvait tout anéantir.

Cependant, le moment était mal choisi pour se plonger dans de telles considérations, alors que Bethany Cavell se tenait à ses côtés, claquant des dents et serrant ses bras sur sa poitrine. Elle était frigorifiée. Il remarqua alors la couleur extraordinaire des yeux de la jeune femme. Ils ressemblaient à des émeraudes dans lesquelles se seraient incrustés des éclats d'argent. Fasciné par la sensualité qui s'en dégageait, Riley tenta de croiser le regard de Beth. Mais, agacé par son propre élan, il se reprit aussitôt et détourna les yeux.

— Allez-y, essayez, dit-il. Je ne serai pas là pour vous aider la prochaine fois.

Avec une moue impatiente, il réfléchit. N'était-ce pas l'occasion de manifester son instinct de survie ? Lorsqu'un homme commence à imaginer des rapprochements entre un feu de bois et des relations avec le sexe opposé, lorsqu'il essaie de capter le regard d'une femme pour déterminer la couleur exacte de ses yeux… c'est qu'il est grand temps de s'éclipser. Et le plus rapidement possible !

Bethany s'agenouilla devant le poêle, repoussa ses cheveux derrière ses oreilles et se mit à attiser la flamme avec précaution. L'effet produit sur Riley fut encore plus dévastateur que lorsqu'elle l'observait avec attention une minute auparavant. Elle se tenait trop près de lui, à présent. Il ne put s'empêcher de remarquer la courbe de son épaule, la rondeur de sa poitrine. Et, lorsqu'elle souffla de nouveau, il nota que la forme qu'elle imprimait à ses lèvres ressemblait à celle d'une bouche dans l'attente d'un baiser.

Ce n'était certes pas dans la peau d'un chef scout qu'il se sentait en ce moment ! Toutefois, il refusait de perdre contenance devant une femme aux yeux d'une couleur indéfinissable !

Tout ce qu'il souhaitait, ce soir, c'était rentrer chez lui, enfouir son visage dans son oreiller et oublier le parfum qui émanait d'elle.

Une senteur de citron. Rien de particulièrement sexy, pourtant. Et pourtant, à genoux sur le plancher rugueux de sa cabane aux côtés de Bethany Cavell, Riley s'étourdit de cette odeur citronnée. Bonté divine ! N'y avait-il pas de quoi faire perdre la tête à un homme ?

Et le mouvement de ses cheveux lorsqu'elle se penchait en avant, les reflets dorés que leur donnait la lueur des flammes…

Riley se releva d'un seul coup, incapable de supporter plus longtemps la chaleur. Et pas seulement celle du feu !

— Continuez, vous vous débrouillez très bien. Ajoutez du bois un peu plus gros, maintenant.

Dans son impatience de s'enfuir au plus vite, il jeta dans le poêle une bûche trop épaisse, qui étouffa instantanément le feu naissant.

Il ne put retenir un juron.

Beth hasarda timidement :

— Laissez-moi essayer, cette fois.

— Vous avez déjà allumé un feu ?

— J'ai fait du camping quand j'étais petite, répliqua-t-elle fièrement. Nous faisions souvent des feux de camp.

Et sans attendre la réponse, le front plissé, elle entreprit de préparer ce qu'un scout chevronné aurait qualifié de chef-d'œuvre en matière de feu de bois. Une douce chaleur se répandit peu à peu dans la pièce.

La jeune femme se tourna vers Riley et lui sourit. Si seulement son visage avait affiché un air un tant soit peu prétentieux ! songea-t-il. Comme il aurait été alors facile de la détester ! Mais tout ce que son sourire révéla, ce furent deux rangées de petites perles blanches, tandis que dansait dans ses yeux une lueur joyeuse.

Beth se releva et s'essuya les mains sur son pantalon.

— C'est drôle ! J'ai l'impression de n'avoir pas trop mal réussi. Qu'en dites-vous ?

— Quand je pense que j'ai fait ça toute ma vie ! grommela-t-il entre ses dents.

Déconfit, il se redressa à son tour. Après tout, allumer un feu était un peu une seconde nature chez lui ; comme seller un cheval ou pister un animal sauvage. Mais bien sûr, si l'on comparait les feux aux relations humaines, ce qu'ils nécessitaient d'attention et de doigté, il était indiscutable que les femmes excellaient dans le second domaine. Incontestablement, elles seraient toujours plus intuitives, plus patientes, plus conscientes des détails qui les entouraient.

D'humeur enjouée, Beth reprit :

— C'était amusant, finalement !

Riley garda le silence. Amusant ! C'était là précisément qu'il avait échoué. « Tu ne m'amuses plus », avait dit Alicia. Non qu'Alicia et lui aient jamais trouvé divertissant une chose aussi simple qu'allumer un feu. Ce qui les distrayait alors, c'était plutôt conduire à tombeau ouvert, faire la fête toute la nuit, participer à des courses de voiture, vivre des passions déchaînées.

Décidément, il n'aimait guère la manière qu'avait sa locataire de raviver ses souvenirs, des douleurs enfouies au plus profond de son être et qu'il s'était juré de ne jamais plus évoquer. Il n'était pas porté à l'introspection. C'était un homme d'action, et c'était dans l'action qu'il trouverait refuge.

Beth souriait toujours avec une mine d'enfant comblé. Jadis, il avait coûté à Riley un magnifique diamant pour dessiner une joie semblable sur le visage d'Alicia.

La jeune femme reprit la parole :

— L'air se réchauffe vite à présent.

Oui, songea Riley, un peu trop vite à mon goût. Il était désormais imprudent de demeurer sur place plus longtemps.

— Je vais vous montrer comment vous servir des lampes et du réchaud. Ensuite, je me sauve.

Et, affectant un air détaché, il lui apprit le maniement des appareils à gaz et s'assura qu'elle était capable de tout faire fonctionner sans danger. Toutefois, lorsqu'elle se haussa sur la pointe des pieds pour atteindre la suspension au-dessus de la table, il ne put détacher son regard des formes ravissantes qui se dessinaient sous l'étoffe du costume de bibliothécaire.

Après avoir allumé à son tour la lampe, la jeune femme gratifia Riley d'un nouveau sourire.

— Je crois que je suis capable de me débrouiller seule maintenant, dit-elle. Mais, au fait, où se trouve le téléphone ? Je ne l'ai vu nulle part.

— Le téléphone ? répéta-t-il, interdit.

— Nous pourrions en avoir besoin, en cas d'urgence.

Riley la dévisagea, d'un air soudain renfrogné. Quel cas d'urgence ? Il n'avait pas pensé à cela. Une fois encore, son départ semblait compromis.

— Il n'y a pas de téléphone, ici.

— Même pas un portable ?

— Nous sommes trop éloignés des relais. En général, les gens viennent ici pour se couper du monde.

Ce qui n'était pas tout à fait la vérité. Les *gens* ne venaient pas ici. Il n'y avait que des hommes pour le faire, et les hommes ne se souciaient pas des urgences éventuelles.

— Mais comment vais-je faire s'il arrive quelque chose ? interrogea-t-elle, avec sérieux. Si je me casse une jambe ? Ou si Jamie s'ouvre le crâne en tombant ?

Riley soupira. Décidément, on pouvait toujours compter sur les femmes pour imaginer les pires catastrophes !

— Ecoutez, vous ne craignez rien ici. Qu'aviez-vous donc l'intention de faire, avec le petit ?

— Eh bien, s'il ne neige pas, je suppose que nous allons jouer à des jeux de société.

Riley écarquilla les yeux, incrédule. Etait-ce cela, sa conception de l'amusement ? Peut-être avait-il alors quelques leçons à prendre dans ce domaine.

— Je ne crois pas qu'on puisse classer les jeux de société dans la catégorie des activités à risques !

Une pointe de remords lui transperça le cœur lorsqu'il distingua une ombre passer sur le visage de la jeune femme. Il l'avait blessée en se moquant d'elle, il s'en rendait compte. Toutefois, il devait résister à la tentation de lui offrir son aide. C'était en se jetant au-devant du danger que l'on se brûlait, il avait payé pour le savoir.

— Voulez-vous que je vienne de temps en temps vérifier si tout va bien ? entendit-il sa propre voix proposer malgré lui.

— Non, je vous remercie, ce ne sera pas la peine.

Plissant les yeux, Riley la scruta. Visiblement, l'assurance de la jeune femme n'était qu'une façade. Il suffirait de gratter un peu la surface pour découvrir ce qui se cachait en dessous. Mais de cela, il devait bien se garder !

— Alors, je vous quitte. A la semaine prochaine !

— Cela vous causerait bien des contretemps, de venir nous voir, n'est-ce pas ?

— Je pourrais toujours m'arranger, répondit-il, tout en se maudissant intérieurement.

— Non, après tout, ne vous inquiétez pas, se reprit-elle. C'est simplement que je ne me suis jamais trouvée sans téléphone, ni voisins.

— N'est-ce pas pour cette raison que vous êtes venue ici ?

— En fait, ce que je recherchais, c'était de la neige.

Riley fronça les sourcils. La jeune femme était terrifiée, il en avait conscience à présent. Il avait suffisamment l'expérience des jeunes chevaux sauvages pour savoir discerner la peur chez un être, quel qu'il fût. Bien qu'elle s'efforçât de la dissimuler, l'appréhension de Beth était perceptible dans son regard, dans sa manière de serrer ses bras sur sa poitrine comme si l'air de la pièce était soudain redevenu glacial.

— Je passerai vous voir, finit-il par articuler, d'une voix résignée.

— Non, je vous assure, tout ira bien.

C'est alors que Riley comprit que ce n'était pas la seule bienveillance qui le poussait à céder à la supplique silencieuse de la jeune femme. Le remords ? Le désir de la revoir ? En tout cas, quelque chose au plus profond de son être qu'il se devait d'extirper au plus vite, d'étouffer avant qu'il ne soit trop tard, comme une étincelle sur un tas de bois sec.

— A votre guise ! dit-il en se dirigeant vers la porte. Je reviendrai vous chercher le 28 décembre. Et, avant le nouvel an, vous aurez retrouvé votre téléphone et vos voisins.

— A bientôt donc, répondit-elle avec vivacité. N'oubliez pas votre veste.

Riley s'arrêta net. Avait-elle remarqué la fièvre qui s'était emparée de lui ? En cet instant, tout son corps dégageait une telle chaleur qu'il n'avait aucun besoin de porter une veste pour sortir dans le froid de la nuit. Il jugea néanmoins prudent de ne pas le mentionner. Fine mouche, elle serait arrivée à la conclusion qu'elle avait quelque chose à voir dans cette brusque bouffée de chaleur.

Reprenant son vêtement qui couvrait l'enfant endormi, il hésita.

— Voulez-vous que je le mette dans son lit ?

— Merci, je m'en occuperai.

— Alors, bonsoir, répondit-il avec brusquerie.

Il était *vraiment* temps de prendre le large, songea-t-il. Il avait été, l'espace d'un éclair, presque ému à la pensée de sentir de nouveau le poids du petit garçon dans ses bras.

Beth l'arrêta d'un geste.

— Attendez ! Si je devais quitter cet endroit par mes propres moyens, combien de temps me faudrait-il à pied ? Par exemple, si nous étions attaqués par un ours, ou quelque chose comme ça.

Médusé, Riley la considéra avec étonnement. Elle n'avait manifestement pas abandonné la perspective d'une calamité. Toutes les femmes poursuivaient-elles leurs idées avec pareille constance ?

— Les ours dorment en hiver, répondit-il calmement, feignant de croire que c'étaient bien les ours que la jeune femme redoutait.

Mais les ours n'avaient rien à voir avec la relation qui semblait s'ébaucher entre Bethany et lui, il en était conscient. C'était beaucoup plus compliqué qu'une histoire de bêtes sauvages. Il s'agissait d'un homme puissant et solide, désireux de prendre sous sa protection une frêle jeune femme terrifiée de se trouver seule. Toutefois, il n'ignorait pas que celle-ci n'hésiterait pas à lui arracher les yeux s'il s'avisait de le lui démontrer.

Beth eut un rire nerveux.

— Oh, bien sûr ! Ils hibernent, je savais cela.

— Vous pourriez facilement rejoindre la route principale en une demi-journée. Ou un peu moins, si vous marchez vite.

— Avec une jambe cassée, vous croyez ? s'exclama-t-elle d'un ton faussement enjoué.

Devant ses yeux remplis d'angoisse, Riley s'immobilisa sur le pas de la porte. Qu'aurait fait un gentleman à sa place ? Lui tenir compagnie toute la nuit ? Lui offrir l'hospitalité de sa maison ? Celle qui possédait le téléphone, l'électricité et des sanitaires ? Mais pas de décorations de Noël, naturellement ! Et puis, à bien y réfléchir, il n'était pas un gentleman, que diable !

— Bonne nuit ! dit-il en effleurant le bord de son chapeau.

A peine eut-il tourné les talons et passé le seuil, qu'il entendit la voix de Beth derrière lui :

— Arrive-t-il que des gens viennent par ici ? Y a-t-il parfois des jeunes qui rôdent dans le coin pour s'amuser ? Ou bien des chasseurs qui se perdent dans la forêt ?

Riley discerna un léger tremblement dans la voix de la jeune femme.

— La saison de la chasse est terminée, soupira-t-il. Et il faudrait vraiment s'ennuyer pour venir chercher de quoi se distraire dans cette région. Mais vous pensez peut-être à des assassins ? Ou à des violeurs ? Des prisonniers en cavale ?

— Ce n'était pas du tout ce que je voulais dire, rétorqua-t-elle avec hauteur, sans pouvoir toutefois s'empêcher de se mordiller la lèvre.

— Personne ne monte jamais jusqu'ici. Pas à cette époque de l'année. De toute façon, il faut emprunter le chemin qui passe devant chez moi. Vous êtes en sécurité, ici, Bethany, expliqua-t-il, se délectant de la sonorité de son nom sur sa langue.

— Alors bonsoir, et joyeux Noël ! lança-t-elle crânement.

— Oui, c'est cela, joyeux Noël !

Et, soulagé, il quitta sans attendre le chalet. Lorsqu'il eut entendu le cliquetis de la porte verrouillée derrière lui, il s'arrêta un moment sur le seuil pour savourer le silence, le ciel étoilé et l'air glacé de la nuit. Comment pouvait-on avoir peur dans un endroit aussi paisible ? Après tout, il n'était pas responsable des frayeurs de la jeune femme. Il n'y pouvait rien, il avait rempli toutes ses obligations envers elle.

Il grimpa dans sa camionnette et s'engagea sur le chemin du retour. Mais, malgré tous ses efforts pour ne plus y penser, il ne put se défendre de s'interroger. Sans doute Beth serait-elle épouvantée en entendant le hurlement des coyotes dans la nuit. Sursauterait-elle, lorsque le vent gémirait dans la forêt et ferait craquer les branches des arbres géants ?

Reconnaîtrait-elle le hululement du hibou, le bramement de l'orignal, le craquement sinistre de la glace à la surface de l'étang ?

Rentré chez lui, Riley ne put fermer l'œil de la nuit. Il se tourna et se retourna dans son lit, hanté par les questions de Beth... mais aussi par son parfum citronné et ses étranges yeux verts. Incapable de trouver le sommeil, il prit une décision. Il retournerait au chalet dès le lendemain matin pour vérifier que tout se passait bien. Le moins qu'il pût faire était de se comporter de manière courtoise. N'était-il pas temps d'apprendre à être chevaleresque après toutes ces années ? Il le devait bien à sa mère après tout. Ce serait son cadeau de Noël à Mary.

L'oreille collée contre la porte, Beth écouta la camionnette s'éloigner.

Riley Keenan était parti. Jamie et elle se retrouvaient absolument seuls dans une maison isolée, sans âme qui vive à des kilomètres à la ronde.

Il n'y a aucune crainte à avoir, tenta-t-elle de se rassurer à haute voix. Riley Keenan a été formel.

Et, sur ces mots, elle vérifia pour la deuxième fois le verrou de la porte. Mais pourquoi un cambrioleur se donnerait-il la peine de passer par là ? Il n'avait qu'à briser une vitre et entrer par une fenêtre. Personne alentour, pour entendre le fracas du verre. Ni les hurlements qu'elle pousserait !

« Beth, tu regardes trop la télévision », se réprimanda-t-elle.

Ce qui ne l'empêcha pas de se pencher au-dessus de l'évier pour coller son front à la vitre, et scruter l'obscurité qui régnait au-dehors.

Mécontente d'elle-même, elle se mit à ranger ses emplettes, et inventoria le contenu du réfrigérateur. A son grand plaisir, elle nota la présence dans un placard de deux boîtes remplies de biscuits aux pépites de chocolat et de pains fraîchement cuits. Sans aucun doute, une gentille attention de Mary Keenan.

Le craquement d'une bûche dans le poêle la fit sursauter.

Elle étouffa un juron. Il fallait admettre la vérité : jamais, de toute sa vie, elle n'avait été seule. Pas aussi totalement seule. Sans téléphone, sans voisins. Il y avait encore quelques mois, Penny et elle vivaient ensemble et, si dérisoire que cela pût paraître, la présence de sa sœur la rassurait. Il fallait dire que Penny n'avait jamais eu peur de rien.

Beth se rendait compte à présent qu'elle ne s'était pas suffisamment informée lorsqu'elle avait conclu l'accord de location avec Mme Keenan. Il lui avait semblé naturel de supposer que le logis était doté de l'électricité, et situé à proximité d'autres habitations. Un petit village de vacances proposant toutes sortes d'activités, en somme !

Que ferait-elle, seule avec Jamie, s'il n'y avait pas de neige ? Devraient-ils rester enfermés dans le chalet toute la journée et jouer à des jeux de société ? Elle se rappela le regard étonné de Keenan lorsqu'elle lui avait expliqué ce qu'elle comptait faire pour distraire Jamie.

C'était une expression d'ennui qu'elle avait discernée sur le visage du cow-boy. Mais que lui importait, après tout, qu'il la trouve inintéressante ? Elle le connaissait à peine. Pourquoi se soucier de ce qu'il pensait ?

Pourtant, l'opinion de cet étranger ne la laissait pas indifférente, elle devait l'avouer.

Et, en dépit de la gaieté du décor, elle se demanda, avec inquiétude, si elle n'avait pas organisé ce qui se révélerait le réveillon de Noël le plus déprimant de l'histoire.

Peut-être aurait-elle dû inviter Riley à partager leur repas ? Jamie en aurait éprouvé une telle joie ! Bien sûr, elle aurait eu ensuite à affronter la déception de l'enfant lorsqu'ils seraient rentrés à Tucson, sans papa.

Elle reprit ses esprits. Qui croyait-elle tromper en prétendant que seul Jamie aurait été heureux si Riley avait réveillonné avec eux ? Le souvenir des cicatrices sur le cou du cow-boy lui revint à la mémoire. Jamie y avait fait allusion dans le pick-up, mais ce n'était que plus tard, à la lueur du feu de bois qu'elle les avait aperçues. Sur le visage de n'importe quel autre homme, ces marques auraient paru disgracieuses. Sur Riley, c'était différent. Elles semblaient faire partie de lui, elle n'aurait su dire pourquoi. Comme si elles témoignaient de la force de l'homme, du mystère qui émanait de lui comme une puissance magnétique.

Tu ne le reverras pas avant le jour du départ, se dit-elle avec une feinte conviction. Et c'est tout aussi bien. Les hommes comme lui ne font que rendre la vie plus compliquée.

Un homme comme lui obligeait une femme à se poser des questions qu'il valait mieux ignorer. Quel goût ses lèvres auraient-elles sur les siennes, par exemple ? Quelle sensation lui donnerait le toucher de sa peau sous ses doigts ? A quoi ressembleraient ses yeux gris sans la froide lueur qui durcissait son regard ?

Sans cesser de ruminer ses réflexions, Beth fouilla le chalet dans ses moindres recoins. Et constata que ceux-ci ne cachaient pas grand-chose ! En dehors de la pièce principale, la maisonnette ne comprenait que deux chambres minuscules. Pas de toilettes, comme l'avait prévenue Mme Keenan. A peu près la seule chose que cette dernière n'ait pas omis de signaler !

Bien que Beth connût le même manque de confort dans son mobile home à Tucson, l'idée d'avoir à s'aventurer dans l'obscurité, à la lisière de la forêt, chaque soir avant de se coucher, n'était pas pour la rassurer.

Elle installa Jamie dans l'une des chambres et déposa affectueusement un baiser sur le front de l'enfant.

Puis, s'armant d'une torche électrique, elle prit son courage à deux mains et se résolut à sortir. Après avoir entrouvert la porte, elle glissa furtivement la tête à l'extérieur. Pas un bruit ne troublait l'inquiétant silence environnant. Aucun klaxon de voiture, aucun crissement de pneu, pas même le nasillement d'une radio ou le hurlement lointain d'une sirène.

Beth eut l'étrange sensation d'avoir atterri par erreur sur la lune, tant le calme qui régnait était inhabituel et angoissant. Elle prit une profonde inspiration et, fermant la porte derrière elle, fit un pas sur le seuil de bois. Bien que l'obscurité lui parût impénétrable, elle n'alluma pas la torche immédiatement. Elle respira l'air glacé, et se laissa saisir par la morsure du froid. Jamais elle n'avait rien connu de tel. C'était comme des dizaines de petites aiguilles qui lui transperçaient la peau. Néanmoins, elle ne recula pas et resta plantée devant la porte, essayant d'accoutumer ses yeux aux ténèbres. Au-dessus de sa tête, les étoiles scintillaient, et les arbres ressemblaient à de gigantesques et silencieuses sentinelles.

Elle éprouva soudain le même désir aussi irrépressible et irrationnel que Jamie : savoir qu'elle n'était pas seule. Elle eut besoin de l'assurance que, même si elle avait commis une erreur aussi monumentale que stupide, quelqu'un veillait sur elle.

— Penny, murmura-t-elle, tu es là ? Tu nous regardes ? Comment as-tu pu me faire ça ? Je ne suis pas douée pour être mère. Et, comme Père Noël, je suis lamentable. Tout ce que je vais réussir à faire, c'est de gâcher le Noël de Jamie. Je n'ai aucune confiance en moi. Pourtant, j'aimerais tellement te ressembler, savoir m'occuper de tout. Pour les décisions importantes, comme de venir ici, je fonce la tête la première, sans réfléchir. Tu vois où cela m'a menée !

Elle sentit une boule d'émotion lui nouer la gorge.

— Penny, Jamie a juste besoin de savoir que tu prends soin de lui. Et moi aussi. Que tu nous protèges tous les deux.

C'est alors qu'un phénomène insolite se produisit. Le ciel se mit à danser. Au début, ce ne fut qu'une minuscule lumière vacillante. Puis la lueur tremblota comme si elle tentait de percer le voile noir du ciel. Et brusquement, un panache de lumière verte irisée jaillit en arc de cercle, traînant dans son sillage une poussière multicolore, tel un feu d'artifice. Le scintillement vert pâlit, puis fusa de nouveau avec éclat. Le ruban lumineux s'étira en un tourbillon étincelant de couleurs.

Frappée de stupeur, Beth regarda fixement le ciel. Elle ne comprenait pas ce qu'elle voyait, mais une chose était sûre, c'était un miracle, une réponse à sa prière.

Ce ne fut qu'un long moment après que la dernière étincelle se fut évanouie, que la jeune femme se rendit compte qu'elle grelottait de froid. Elle alluma sa torche et se dirigea vers les latrines, une minuscule hutte de bois dont la porte était percée d'un croissant de lune.

De retour dans le chalet, toujours troublée par l'impression étrange qu'elle venait d'éprouver, elle retrouva avec gratitude la chaleur réconfortante du feu de bois. Elle ajouta une bûche dans le poêle et gagna sa chambre.

Quand elle eut revêtu son pyjama, une pensée lui traversa l'esprit. Avait-elle bien verrouillé la porte derrière elle ? Mais, libérée de toute peur, elle éclata de rire, se glissa entre ses draps, ferma les yeux et sombra instantanément dans un profond sommeil.

Ce fut la voix de Jamie qui la réveilla brusquement :

— Tante Beth, il fait glacial ici !

Beth ouvrit les yeux. L'enfant, transi, debout près de son lit, serrait de toutes ses forces son ours en peluche contre sa poitrine. Les premières lueurs de l'aube, froides et grises, s'infiltraient par la fenêtre.

La jeune femme ouvrit ses couvertures et fit grimper le petit garçon dans son lit.

— Jamie, commença-t-elle, j'ai vu une chose extraordinaire cette nuit.

Elle voulut décrire le spectacle lumineux auquel elle avait assisté, mais, à son grand désarroi, ne trouva pas les mots pour en exprimer toute la beauté.

— Je parie que c'étaient des martiens ! s'exclama Jamie, ravi.

— Je suis contente de ne pas avoir pensé à ça hier soir !

Incapable de supporter plus longtemps le froid qui pénétrait leur refuge douillet, elle bondit hors du lit et traversa le séjour. Comme la veille, elle prépara avec soin un petit tas de papier et de bois et craqua une allumette. Une flamme bientôt s'éleva, mais, quelques secondes plus tard, la fumée se mit à refluer dans la pièce qu'elle ne tarda pas à envahir complètement.

Respirant avec difficulté, Beth se souvint que c'étaient les inhalations de fumée qui, dans les incendies, causaient le plus de victimes. Elle regagna sa chambre en trombe, saisit Jamie dans ses bras et, s'emparant de leurs manteaux et de leurs chaussures, se précipita au-dehors.

— Nous allons laisser sortir la fumée, dit-elle avec une assurance feinte. Ensuite, je rallumerai du feu.

Tout sentiment de confort et de bien-être s'était envolé. Que se passerait-il, si elle ne réussissait pas à chauffer l'intérieur du chalet ? Si Jamie et elle mouraient de froid, comme des touristes ignorants des réalités climatiques de la région ?

Au cas où les choses tourneraient mal, ils pourraient toujours quitter les lieux. Cela ne leur prendrait après tout qu'une demi-journée de marche ! Elle jeta un coup d'œil à Jamie qui, dans ses baskets, se balançait d'un pied sur l'autre. De toute évidence, leurs souliers étaient aussi inappropriés que leurs vêtements aux rigueurs de l'hiver canadien. Ne risquaient-ils pas des engelures et la perte de quelques orteils s'ils s'aventuraient sur une route enneigée ?

Soudain, elle entendit le grondement d'un moteur dans le lointain.

— Voici les renforts ! Nous sommes sauvés ! claironna-t-elle.

— C'est Riley ! J'étais sûr qu'il reviendrait.

Beth cligna des yeux. Les lueurs aperçues dans le ciel la nuit précédente lui revinrent à la mémoire, et elle ne put se défendre de penser qu'une lettre au Père Noël avait parfois des résultats inattendus.

Mais, avant que la camionnette eût gravi la dernière côte et se fût immobilisée devant le chalet, le soulagement de Beth s'était transformé en un sentiment d'humiliation. Cela faisait à peine vingt-quatre heures que Jamie et elle s'étaient lancés dans l'aventure d'un voyage à l'étranger, et déjà ils avaient besoin d'être secourus !

Elle regarda Riley sauter à bas de son pick-up et se précipiter vers eux. Sa silhouette mince et musclée, tout en force virile, avait de quoi troubler n'importe quelle femme.

« Ne te laisse pas impressionner », s'ordonna-t-elle en son for intérieur.

Riley la prit par les épaules et lui demanda, inquiet :

— Vous n'avez rien ?

Se livrant à l'emprise de ces mains puissantes, Beth se contenta de hocher la tête et s'abandonna à la faiblesse qui s'emparait d'elle.

Dieu merci, après deux secondes, Riley desserra son étreinte et s'engouffra sans hésiter dans le chalet. Un instant plus tard, après avoir ouvert toutes les fenêtres, il ressortit, les bras chargés de couvertures dont il enveloppa Beth et Jamie.

— Dans une minute, l'air sera de nouveau respirable, déclara-t-il.

— Que s'est-il passé ? questionna Beth en claquant des dents.

— Vous avez oublié d'ouvrir le registre.

— Le registre ?

— C'est la trappe qui sert à régler le tirage. Si elle reste fermée, l'air ne passe pas et le poêle refoule la fumée.

— Je n'ai touché à rien !

— Vous avez dû la refermer sans le faire exprès, dit-il en serrant la couverture autour des épaules de la jeune femme.

Lorsqu'il l'entoura de son bras, Beth sentit sa chaleur s'infiltrer dans toutes les fibres de son corps.

Riley se tourna ensuite vers Jamie et l'interrogea du regard.

— Oh, moi ça va ! s'exclama ce dernier. Je m'amuse bien. C'est comme si j'étais un pionnier dans « La piste de l'Oregon », un jeu vidéo que nous avons à l'école.

Au ton rempli d'enthousiasme du petit garçon, Riley s'esclaffa avec bonne humeur.

En le regardant rire ainsi sans contrainte, Beth sentit son cœur s'arrêter de battre. Non seulement cet homme était beau, mais il possédait un charme irrésistible ! Ce qui ne manquait pas de compliquer la situation.

— Pourquoi êtes-vous revenu ? s'enquit-elle.

— Oh, pour rien ! Je passais dans les environs, répondit-il avec détachement.

Il ne pouvait tout de même pas lui avouer qu'il s'était inquiété pour elle ! En outre, elle aurait certainement mal pris le fait qu'il doute de ses compétences. Pourtant, la cause de ses craintes n'était pas sans fondement, n'en déplaise à la jeune femme !

Avec gravité, Jamie intervint :

— Tante Beth a failli se faire enlever par des martiens, cette nuit.

— Des martiens ? répéta Riley, éberlué.

Il jeta un regard en direction de son véhicule. Déjà, il regrettait d'être revenu s'immiscer dans la vie de ses locataires.

Mais Beth, qui se sentait dorénavant soutenue par la bienveillance de sa sœur, décida de ne pas se laisser démonter par ce regard pour le moins désobligeant.

— Je n'ai pas rêvé ! soutint-elle avec une légère agressivité. J'ai vu des lumières étranges dans le ciel. Mais je n'ai jamais songé que cela pouvait être des martiens, ajouta-t-elle malgré les reproches silencieux de Jamie.

Elle vit Riley se mordre la lèvre pour réprimer un fou rire.

— Qu'ai-je dit de si drôle ?

— Vous n'avez donc pas fait une rencontre du troisième type, cette nuit ?

— Ce n'était pas mon imagination !

— Bien sûr que non ! Ce que vous avez vu s'appelle une aurore boréale.

Bouche bée, Beth le considéra un instant. Ainsi, ces vacances ne s'avéraient pas une totale perte de temps malgré tout ! Elle pourrait rentrer et raconter à ses collègues de bureau qu'elle avait assisté à l'un des phénomènes atmosphériques les plus spectaculaires de la nature.

Et ce n'était pas au sourire de Riley Keenan qu'elle ferait référence !

C'est alors que, levant la tête vers le ciel d'où s'étaient mis à tomber de gros flocons humides, Jamie s'écria :

— Regardez ! Il neige !

Beth adressa un remerciement silencieux pour ce don du ciel, ce qui ne l'empêcha pas de remarquer que le visage de Riley s'était assombri.

4.

— Ce sont des lettres d'amour en provenance du paradis, murmura Beth tandis que Jamie essayait d'attraper des flocons de neige sur sa langue.

Ivre de bonheur, l'enfant tournoyait sur lui-même, les bras écartés, la tête rejetée en arrière.

Riley rompit l'enchantement.

— D'abord, des martiens essaient de vous kidnapper ; et maintenant, c'est le ciel qui vous envoie des billets doux. Vous êtes vraiment bizarres dans l'Arizona !

— L'histoire des martiens n'est que le fruit de l'imagination de Jamie, se défendit Beth. Je n'ai jamais pensé une chose pareille !

Elle lui jeta un coup d'œil à la dérobée. Un drôle de petit sourire chatouillait les lèvres du cow-boy. Il la taquinait, c'était évident ! Elle demeura un instant indécise. Riley Keenan la prenait-il pour une excentrique ? Qu'à cela ne tienne ! Elle n'attacherait pas la moindre importance à son opinion. Quoique… Celle-ci ne lui était pas indifférente…

— Jamie voulait de la neige pour Noël comme preuve que sa maman veillait toujours sur lui, tenta-t-elle d'expliquer.

Elle s'interrompit. Ce n'était pas ce genre de propos qui empêcherait Riley de la trouver encore plus bizarre, elle s'en rendit compte trop tard. Pourquoi lui avait-elle confié une histoire si personnelle ? D'où lui venait ce sentiment que, sous ses dehors bourrus, Riley Keenan était en réalité un homme en qui l'on pouvait se fier ?

Pourvu qu'il ait la délicatesse d'abandonner le sujet, espéra-t-elle en son for intérieur. Mais non ! au contraire, il la fixa avec une intensité quelque peu gênante.

— Vous pensez qu'elle le protège de là-haut ? interrogea-t-il d'une voix grave. Et vous aussi ?

Beth songea tout d'abord à éluder la question par une pirouette, afin de dissimuler l'angoisse de son âme. Mais, pour quelque obscure raison, elle opta pour la sincérité.

— C'est la seule chose au monde en laquelle je veuille croire, avoua-t-elle.

Et elle attendit le commentaire ironique qui lui ferait comprendre qu'une fois de plus, elle avait placé indûment sa confiance. En vain.

— Vous avez raison d'y croire, Beth, finit-il par murmurer après un long silence. J'espère de tout cœur que c'est vrai.

Puis il se mit à scruter le ciel d'un regard soucieux.

— Je crois que nous allons avoir quelques problèmes. La météo a lancé un avis de tempête de neige, ce matin. C'est un véritable blizzard qui s'annonce, et il pourrait durer jusqu'à Noël. La radio prévoit les plus importantes chutes de neige depuis une vingtaine d'années.

— Vraiment ? C'est formidable, s'exclama Beth, ravie.

— Vous ne semblez pas comprendre la situation. Nous pourrions nous retrouver bloqués ici pendant un long moment.

— Ce qui veut dire ?

— Les routes vont devenir impraticables. Il me faudra des jours pour ouvrir un chemin. Rien ne garantit que vous pourrez retourner à l'aéroport à temps pour ne pas rater votre avion.

Beth se rembrunit. Pourquoi venait-il gâcher son plaisir en attirant son attention sur des détails pratiques, certes, mais si radicalement démoralisants ? Nul doute qu'il envisageait l'aspect magique de la neige sous le même angle que les histoires de martiens.

— Que suggérez-vous ?

Elle regarda Jamie tenter de lécher un flocon de neige sur le bout de son nez. Cela faisait une éternité qu'elle ne l'avait vu si heureux et insouciant.

D'une voix posée, Riley répondit :

— Vous n'allez pas aimer ce que je vais vous dire. Mais je crois que le mieux, c'est que vous repartiez tout de suite, pendant qu'il en est encore temps.

Beth secoua vigoureusement la tête. Elle avait commis l'erreur de lui dévoiler sa vulnérabilité, et il avait pris cela pour de la faiblesse. Mais elle était désormais déterminée à ne pas abdiquer. Elle s'écria d'un ton dont Penny aurait été fière :

— C'est hors de question ! Nous restons ici.

— Il y a une charmante maison à Bragg Creek qui offre des chambres d'hôtes, suggéra-t-il, feignant d'ignorer son refus. Je suis sûr qu'ils ont encore de la place.

— Vous vous êtes moqué de moi, hier soir, parce que j'avais envisagé toutes les catastrophes possibles.

En voyant les traits de Riley se durcir, Beth frissonna. Il ressemblait à un guerrier, plus habitué à donner des ordres qu'à en recevoir.

— Ce qui m'a fait rire, dit-il, c'est de vous entendre passer en revue les fléaux les plus fantaisistes, comme des ours, ou des cambrioleurs ! Mais vous ne connaissez rien aux réalités de ce pays. Moi, si !

— Les bulletins météo se trompent souvent, répliqua-t-elle, obstinée.

Elle le vit détourner les yeux avec un soupir. Visiblement, il redoublait d'efforts pour garder son calme et essayer de lui faire entendre raison.

Mais elle avait pris sa décision, de manière irrévocable.

— Je vais préparer le petit déjeuner. Le chalet doit être suffisamment aéré. Jamie, veux-tu des œufs et du bacon ?

— Oui, s'il te plaît, répondit l'enfant. Riley, tu restes avec nous ?

— Je suis sûre que Riley est très occupé, s'empressa-t-elle de répondre, dans sa hâte de voir s'éloigner ce cow-boy si désireux de lui gâcher son séjour.

Cependant, si ce dernier ne cachait pas son impatience de partir au plus vite, il ne pouvait se résoudre à le faire sans tenter une fois encore de convaincre la jeune femme de quitter les lieux.

— J'ai le temps de déjeuner avant de reprendre la route, marmonna-t-il.

Levant les yeux au ciel, Beth réintégra la maisonnette, non sans avoir recommandé à Jamie de ne pas s'éloigner. A l'intérieur du chalet, bien que la fumée se fût dissipée, une odeur persistante continuait à flotter dans l'air. En grelottant, Beth referma les fenêtres.

Riley ralluma le feu puis se mit à fouiller dans le placard près de la porte d'entrée dont il retira un carton dans lequel étaient soigneusement pliés des vêtements d'hiver pour enfant.

— Puisque vous insistez pour rester, vous devriez au moins veiller à garder le petit au sec. Vous n'avez jamais entendu parler de l'hypothermie ?

Beth ne put réprimer une moue de triomphe. Enfin ! Leur hôte finissait par admettre l'idée qu'ils n'allaient pas écourter leurs vacances — mais avec quelle mauvaise grâce. Du coin de l'œil, elle observa Riley qui s'employait avec sérieux et maladresse à habiller Jamie d'une combinaison de ski.

— D'où ces vêtements viennent-ils ? questionna-t-elle.

— Je crois bien que c'étaient les miens, quand j'étais petit. Ma mère a dû les apporter ici en prévision de votre séjour.

Bethany essaya, non sans peine, de se représenter le cow-boy en petit garçon. Puis, souriant intérieurement, elle s'approcha du réchaud, ouvrit le gaz, craqua une allumette…

Et boum !

Elle fut violemment projetée en arrière par le souffle de l'explosion.

En un éclair, Riley avait bondi à ses côtés.

— Rien de grave, la rassura-t-il en lui effleurant le front, mais vos sourcils sont un peu brûlés. Relevez-vous doucement, et vous irez vous regarder dans la glace.

Choquée, Beth s'examina dans le miroir qu'il lui tendait. L'extrémité de ses sourcils et de ses cils avaient pris une teinte roussâtre.

C'était bien sa chance ! Se trouver en présence de l'homme le plus séduisant du monde, et ressembler au lapin dans *Winnie l'Ourson* !

D'une voix qu'il voulait réconfortante, il lui expliqua avec patience :

— Il faut d'abord craquer l'allumette et ensuite ouvrir le robinet de gaz. C'est précisément pour ce genre de raison que je n'aime pas l'idée que vous restiez ici.

— Ne soyez pas ridicule ! Pensez-vous vraiment que je vais commettre la même erreur deux fois ?

— Ecoutez, Bethany, si la route est bloquée par la neige, je ne pourrai plus vous venir en aide.

— Vous n'aviez pas l'intention de revenir lorsque vous êtes parti hier soir, n'est-ce pas ? J'ai vingt-six ans, voyez-vous, et pour l'amour du ciel, je n'ai pas besoin que l'on vienne me surveiller. Vous n'êtes pas ma baby-sitter, que je sache !

— Hier, vous aviez peur de rester ici toute seule.

— J'étais fatiguée.

De plus je ne croyais pas aux miracles et je n'avais pas confiance en moi, ajouta-t-elle en son for intérieur. Encore qu'il y eût beaucoup de progrès à accomplir en ce qui concernait la confiance en soi !

— Bethany, je ne mets pas en doute vos compétences…

— Non, bien sûr, coupa-t-elle en lui jetant un regard soupçonneux.

A bien y réfléchir, elle n'appréciait pas du tout le ton qu'elle percevait dans la voix du cow-boy. C'était certainement le même accent cajoleur qu'il employait avec toutes les femmes pour obtenir d'elles ce qu'il voulait. Et, si embarrassant qu'il fût de l'admettre, elle y aurait sans doute succombé s'il avait utilisé son charme pour lui voler un baiser, au lieu de la convaincre de partir.

A cette idée, ses joues s'empourprèrent. Mais elle était femme, que diable ! Et qui aurait pu lui reprocher de ne pas rester de marbre devant un homme aussi irrésistible ?

Non qu'elle fût de ces femmes auxquelles les hommes d'habitude essaient de dérober des baisers ! Cela avait plutôt été le domaine de Penny. Qu'aurait fait cette dernière, en compagnie d'un homme qui à la fois l'agaçait et l'attirait ?

D'une voix suave, Riley reprit la parole.

— Je ne doute pas de vos capacités, répéta-t-il, mais je me rends compte que cette région vous est totalement étrangère. Il serait tout à fait irresponsable de laisser une jeune femme de la ville seule avec un enfant dans cette maison, alors que s'annonce la pire tempête de neige de ces vingt dernières années. Je suis sûr que ma mère vous remboursera la location. Cela ne posera aucun problème.

— Je ne partirai pas ! s'exclama-t-elle, l'air buté.

Mais elle se sentit obligée d'ajouter pour se justifier :

— Regardez tout le travail qu'a fait votre mère pour rendre cette cabane accueillante. Croyez-vous que je puisse m'en aller, après ça ? Elle nous a même fait cuire des biscuits et du pain !

— Elle comprendra, j'en suis sûr. Elle ne pouvait pas prévoir que nous aurions à subir des conditions climatiques si épouvantables.

— Elle a fait tout cela *pour nous* !

Riley garda le silence quelques instants. Puis, détachant avec soin chaque syllabe, il demanda gravement :

— N'avez-vous personne pour prendre soin de vous, d'habitude ?

Beth se mordit la lèvre. Elle s'était montrée pitoyable, elle s'en rendit compte, et beaucoup plus vulnérable qu'elle n'en avait eu l'intention. Une fois de plus !

— Je voulais simplement dire qu'il y a longtemps que personne ne s'occupe plus de moi, tenta-t-elle de rectifier.

— S'il ne s'agit que des biscuits et du pain, vous pouvez les emporter avec vous.

A cause des biscuits ! Comment les hommes pouvaient-ils être si aveugles ? Les gâteaux n'avaient rien à voir là-dedans ! C'était de *sentiments* qu'il s'agissait ! Mais, bien entendu, Riley Keenan appartenait à la catégorie des hommes les moins susceptibles de savoir mettre un nom sur ce qu'ils éprouvaient.

— Ce serait terriblement dommage que personne ne profite de cette ravissante cabane pour Noël, dit-elle avec fermeté. Criminel, à vrai dire.

— Entrer dans une banque avec un fusil à canon scié, ça, c'est criminel. Ce que je vous demande de faire n'appartient qu'au domaine du bon sens élémentaire.

— Je suppose que nous n'avons pas la même définition de la criminalité.

— Il y a des définitions qui ne donnent pas lieu à discussion. Pensez-vous trouver un jour « abandon de cabane la veille de Noël » comme motif d'inculpation dans le code pénal ? Non, n'est-ce pas ? Soyez sérieuse !

— J'ai horreur que quelqu'un me pose une question et y réponde à ma place.

— Et moi, je ne supporte pas que l'on refuse d'entendre la voix de la raison.

— Parfait ! Nous avons donc quelque chose en commun. Nous nous détestons tout autant l'un que l'autre.

C'est alors que Beth entendit Jamie, debout dans l'encadrement de la porte, s'exclamer :

— Non ! vous ne pouvez pas vous détester. Je ne veux pas !

Beth perçut une réelle détresse dans la voix de son neveu. Evidemment, de son point de vue à lui, elle ne pouvait se permettre d'exécrer celui qui devait assumer le rôle de papa !

— Jamie, expliqua-t-elle, ce n'est pas ce que je voulais dire. Je ne hais pas vraiment Riley. C'est juste que je ne le connais pas assez. Parfois, les adultes ont bien du mal à se comprendre.

Jamie se tourna vers Riley :

— Et toi, tu aimes bien ma tante Beth, dis ?

— Oui, je t'assure ! affirma Riley, prenant soudain un air affolé d'ours pris au piège.

— Alors, ça va. Je retourne dehors pour choisir le plus beau sapin de Noël de toute la terre.

— Votre mère nous a permis de couper un arbre, intervint Beth avant que Riley ait eu le temps de protester.

Elle regarda Jamie sortir.

— Ne t'éloigne pas trop, lança-t-elle dans son dos.

Quel soulagement, de le voir enfin s'amuser au grand air ! Cela faisait des mois qu'elle suppliait le petit garçon de jouer dehors avec ses camarades, et des mois qu'il refusait, collé devant la télévision, serrant Buddy Bear dans ses bras.

Beth se mit à préparer le petit déjeuner, en déclarant avec une moue gourmande :

— Mmmh… Rien de tel pour se sentir chez soi que l'odeur des œufs au bacon.

— Vous n'êtes pas chez vous. Vous allez bientôt partir. Pour votre sécurité, et pour ma tranquillité d'esprit.

— Vous entendez ce bruit, Keenan ? coupa-t-elle, en tendant l'oreille.

Interloqué, Riley pencha la tête en direction de la fenêtre.

— Vous voulez dire, le rire de Jamie ?

— Exactement ! Et c'est pourquoi nous ne bougerons pas d'ici, nous ne quitterons pas un endroit où il est si heureux qu'il a envie de rire. La joie de mon neveu n'a pas de prix, à mes yeux. Donc, nous allons prendre notre petit déjeuner, puis nous irons couper un arbre de Noël. Et ça m'est égal si nous restons bloqués ici pendant un mois. Le ciel pourrait bien s'écrouler, nous restons, vous entendez ?

Voilà qui était fait ! Elle avait enfin affirmé sa volonté et n'avait même pas eu besoin de se justifier en invoquant un miracle.

Un silence pesant s'abattit sur la pièce. Beth défia Riley du regard, prête à affronter le moindre de ses arguments. Mais il se contenta de la dévisager en silence, l'air abasourdi. Il devait y avoir des lustres que personne n'avait osé s'opposer à ses ordres.

— Entendu, finit-il par dire. Je vous ai comprise.

— Très bien ! Comment voulez-vous vos œufs ? Frits ou à la coque ?

Tout en mâchant son bacon, Riley réfléchit. Le problème avec les femmes, songea-t-il, c'était qu'elles fondaient leurs décisions sur les sentiments plutôt que sur la raison. Avec une différence aussi essentielle dans la manière dont les hommes et les femmes abordaient la vie, il était surprenant que l'espèce humaine ne se fût pas encore éteinte !

Cinq ans plus tôt, une femme avait fait bien peu de cas du fait qu'il eût déjà construit sa maison et envoyé les invitations pour leur mariage. « Cela ne m'amuse plus », avait-elle déclaré. Il en portait encore les marques gravées au fer rouge au plus profond de son âme. C'était par colère, il le comprenait, qu'Alicia avait mis fin à leur relation. Elle ne lui avait pas pardonné de ne pas l'écouter : « Je t'en supplie, Riley, pour l'amour du ciel, n'y va pas ! ». Mais il était resté sourd à sa prière. Si seulement…

La voix de Beth le tira de ses douloureux souvenirs.

— Quelque chose ne va pas, Riley ?

Revenant sur terre, il se sentit embarrassé. Beth l'observait, les yeux plissés.

— Excusez-moi, je pensais à autre chose.

Comme la jeune femme ne le quittait pas des yeux, une pensée traversa l'esprit de Riley. Bethany Cavell était l'antithèse d'Alicia. Les différences entre les deux femmes n'étaient pas seulement superficielles, encore que celles-ci fussent frappantes.

Alicia adorait se maquiller et ne se privait pas de recourir à tous les artifices mis à sa disposition pour rehausser sa beauté. Le visage de

Beth reflétait l'éclat d'une peau saine et sans fard. Alicia se teignait les cheveux, en blond naturellement. C'était plus amusant, lui disait-elle toujours. Nul doute que ce qui lui importait par-dessus tout, c'était de s'amuser, comme il n'avait pas tardé à s'en rendre compte. Alicia s'habillait pour mettre ses charmes en valeur, et elle n'en manquait certes pas. Beth était vêtue comme une religieuse en civil. Aujourd'hui, par exemple, par-dessus le pyjama dans lequel il l'avait surprise en arrivant, elle avait enfilé un austère chemisier à manches longues, comme si elle trouvait sa tenue indécente. Or, son pyjama, en flanelle rouge décoré de sucres d'orge, semblait tout droit sorti du rayon enfants d'un magasin de vêtements.

Alicia aussi aimait le rouge, mais elle aurait pu en remontrer à Beth en matière d'indécence. Pour elle, un pyjama se devait d'être un déshabillé aguichant de soie et de dentelle. A cette pensée, Riley s'aperçut qu'il n'éprouvait pas le moindre regret, au souvenir d'une Alicia très sexy, s'apprêtant à se coucher. Et Dieu sait si elle l'était, sexy !

Mais c'était dans les yeux des deux femmes que résidait la différence essentielle. Non pas tant dans leur couleur — encore qu'il doutât de jamais retrouver cette nuance de vert caractéristique du regard de Beth ailleurs.

Les yeux d'Alicia étincelaient d'une flamme ardente, d'énergie à l'état brut. Ceux de Beth exprimaient la douceur, et la bienveillance.

A mesure qu'un homme vieillissait, peut-être s'attachait-il à des valeurs différentes. Alicia avait été une orchidée, exotique et sauvage. Beth ressemblait plus à un joli et simple coquelicot, ce qui n'était pas pour lui déplaire.

Refusant de s'attarder plus longtemps, il se leva de table.

— Merci pour le déjeuner. Je dois me mettre en route.

La jeune femme était déterminée à ne pas revenir sur sa décision ? Qu'à cela ne tienne ! Il ne lui restait plus qu'à prendre congé. Elle était adulte et savait ce qu'elle faisait, que diantre ! Il n'en était pas responsable.

Jamie se leva à son tour et demanda, d'une voix pleine d'enthousiasme :

— Tante Beth, nous pouvons aller couper l'arbre de Noël, maintenant ?

— C'est exactement ce que j'avais l'intention de faire. Et ensuite, nous le décorerons. La vaisselle peut attendre.

— Je peux m'occuper de l'arbre, si vous voulez, intervint Riley à sa propre stupeur.

Comment ces paroles lui avaient-elles échappé ? Plus jamais de sapins, de décorations, et de tout ce qui rappelait Noël, il se l'était juré !

— Je vous remercie, mais ce n'est pas la peine, déclara Beth, la mine de nouveau têtue. Vous pouvez partir. Jamie et moi ferons cela très bien.

Jamie jeta un regard de reproche à sa tante.

— Je veux que Riley reste avec nous pour nous aider, décréta-t-il.

Puis se tournant vers son nouvel ami, le visage grave, il ajouta :

— Nous buvons toujours du chocolat chaud quand nous décorons l'arbre. Et tante Beth fabrique des guirlandes de pop-corn.

— Je serais désolé de manquer ça. Mais tout ce que je peux faire, c'est abattre l'arbre que tu auras choisi. C'est un travail plus difficile qu'il n'y paraît.

— J'en suis parfaitement capable, répéta Beth.

Riley plissa les yeux. Elle avait de nouveau décidé de manifester son obstination ? A sa guise ! Mais avait-elle jamais abattu un seul arbre dans sa vie ? Savait-elle au moins manier une hache ?

— D'accord ! Je me contenterai de vous regarder, dit-il d'une voix suave. Juste au cas où. Un accident arrive si vite ; et je ne voudrais pas que vous vous coupiez un orteil, car il vous faudrait alors plus d'une demi-journée de marche pour sortir d'ici.

— Cela n'a rien d'amusant, rétorqua-t-elle avec hauteur avant de disparaître dans sa chambre, le carton de vêtements sous le bras.

— Moi, je te trouve drôle, murmura Jamie à l'oreille du cowboy.

— Merci. Nous, les hommes, devons nous serrer les coudes.

— Je n'ai jamais eu personne pour ça avant. Rien que maman et tante Beth.

— Ta tante Beth n'a-t-elle pas un petit ami ?

Riley se rendit compte qu'il aurait dû ressentir quelque honte à essayer d'arracher des informations à un enfant. Mais curieusement, il n'en éprouva pas le moindre remords.

— Elle en avait un, avant, répondit Jamie. Mais il ne m'aimait pas.

— Alors, c'était un imbécile !

— Tu as raison, approuva le petit garçon, heureux d'être accepté dans la confrérie masculine. Tante Beth et lui devaient se marier, mais ils ont tout annulé.

— Ça me rappelle une histoire que je connais bien, murmura Riley entre ses dents.

— Sam ne voulait pas de moi. Il voulait des enfants à lui. Je l'ai entendu parler avec tante Beth, le soir où je me suis caché dans le placard de l'entrée.

Ainsi, c'était pour cela que Bethany Cavell venait passer le réveillon à des milliers de kilomètres de chez elle ! Tout s'expliquait à présent.

— Et je parie que ta tante Beth lui a répondu d'aller se faire pendre ailleurs, non ? C'est ce que j'aurais fait à sa place.

Jamie hocha la tête d'un air satisfait.

— Vraiment ? Tu crois que je suis un petit garçon assez gentil pour qu'elle veuille me garder ? Autant que ses propres bébés ?

— Evidemment ! On voit tout de suite qu'elle t'aime beaucoup. Et puis, toi, au moins, tu as passé l'âge des couches !

Jamie émit un petit gloussement de bonheur. Puis, après avoir contourné la table, il grimpa sur les genoux de Riley.

Seigneur ! pensa ce dernier. Je n'ai pas dit que j'allais l'adopter.

Mais, incapable de trouver une excuse pour faire descendre l'enfant, il se résigna. La confiance et l'affection que le petit garçon lui manifestait le désarçonnèrent. Et n'étaient pas sans lui plaire !

Après quelques minutes, Beth les rejoignit dans le séjour.

— Jamie, Riley n'est pas un fauteuil. Je ne crois pas qu'il apprécie que tu restes assis sur ses genoux.

Riley réprima un sourire narquois. Visiblement, la jeune femme ne souhaitait pas que l'enfant s'attachât à lui.

Jamie esquissa une moue de déception.

— Il a dit que j'étais un gentil petit garçon et que n'importe qui aimerait bien m'avoir comme enfant.

— C'est qu'il n'a jamais vu l'état de la baignoire une fois que tu as pris ton bain ! répliqua-t-elle d'un ton taquin.

Cependant, derrière l'indifférence qu'elle s'efforçait d'afficher, Riley discerna une sourde inquiétude dans ses yeux lorsqu'elle le regarda par-dessus la tête de Jamie.

Il souleva l'enfant dans ses bras et le déposa à terre.

— Allons chercher ce sapin avant que le Père Noël ne s'aperçoive qu'il lui manque un lutin, et qu'il ne vienne enlever ta tante pour le remplacer.

De fait, avec le chapeau que Mary Keenan avait confectionné pour déguiser Riley lors d'une fête de son école, la jeune femme avait les airs comiques de l'un des petits apprentis du Père Noël. Elle avait, en outre, enfilé une parka deux fois trop grande pour elle, ainsi que d'épais pantalons de ski, des gants de différentes couleurs et des bottillons qui lui donnaient l'air d'un astronaute.

En sortant du chalet, Riley remarqua avec inquiétude qu'au moins cinq centimètres de neige s'amoncelaient déjà sur le sol gelé. Il scruta le ciel. La tempête ne faisait que commencer.

A quelques mètres derrière la maison, il désigna du doigt le billot sur lequel il avait enfoncé la lame de la hache à couper le bois. Puis, croisant les bras sur sa poitrine, il regarda Beth s'efforcer de s'emparer de l'outil.

Après avoir laissé la jeune femme se débattre un peu plus longtemps qu'il n'était galant de le faire, il s'avança d'un pas et, d'une seule main, arracha la hache de son support.

Vexée, Beth grommela d'une voix acerbe :

— Vous cherchez à vous rendre intéressant ?

— Vous n'allez pas tarder à comprendre ce que c'est qu'abattre un arbre.

— Quel sapin veux-tu, Jamie ? demanda-t-elle, ignorant la remarque.

Jamie partit comme une flèche vers la lisière de la forêt. Il avait choisi un magnifique épicéa de plus de deux mètres de haut, et dont le tronc à la base ne devait pas mesurer plus de quinze centimètres de diamètre.

Un arbre qu'elle n'aurait aucune difficulté à couper, songea Beth avec satisfaction.

— Reculez-vous, ordonna-t-elle.

Et, prenant une profonde inspiration, elle écarta les pieds et se campa solidement sur ses jambes. Puis, d'un geste ample, elle abattit la hache de toutes ses forces sur le tronc. Surprise par l'étincelle qui jaillit de la lame lorsque celle-ci mordit le bois, elle s'arrêta quelques secondes pour reprendre son souffle et tenta de renouveler son exploit.

Mais, cette fois, ce ne fut que plusieurs centimètres au-dessus de la première entaille qu'elle réussit à enfoncer la hache.

Jamie jeta un coup d'œil inquiet vers Riley.

— Combien de temps faut-il pour couper un arbre ? s'enquit-il à voix haute.

— Cela dépend de l'obstination du bûcheron. Cela peut prendre toute une journée.

— C'est ce que nous allons voir ! s'exclama Beth, les dents serrées.

Riley haussa les épaules. Avec toute cette neige qui s'accumulait sur la route, il aurait dû partir sur-le-champ, il le savait. Mais étrangement, il lui importait peu d'attendre à présent... Il tenait plus que tout à savoir jusqu'à quel point Beth pouvait se montrer obstinée.

Et de l'opiniâtreté, elle n'en manquait pas !

Jamie commença à s'impatienter.

— Tu sais dessiner des anges dans la neige ? demanda-t-il en tirant Riley par la manche. J'en ai vu à la télévision.

— Bien sûr ! Tu t'allonges par terre et tu balaies la neige en levant les bras au-dessus de ta tête, puis en les redescendant le long de ton corps. Et tu fais le même mouvement avec tes jambes.

Et, devant les yeux écarquillés de Jamie, Riley s'apprêta à faire une démonstration. Comment rester sourd à la prière d'un enfant qui vous demande de lui faire découvrir l'art traditionnel canadien de « l'ange de neige » ? Pas question de refuser ! Aussi se coucha-t-il de tout son long, et agita-t-il bras et jambes avant de se relever d'un bond pour admirer l'effet produit.

Tandis que Jamie considérait avec révérence la silhouette dessinée sur le sol, Riley lança un regard furtif vers Beth et remarqua que celle-ci l'observait avec le même air alarmé que lorsqu'elle l'avait vu tenir Jamie sur ses genoux.

Lorsque le petit garçon se jeta sur le sol pour essayer à son tour d'imprimer un ange dans la neige, Riley le félicita avec gravité.

— Parfait ! Un magnifique angelot ! proclama-t-il.

Comme c'était simple, d'illuminer le visage d'un enfant d'un éclair de bonheur !

Il tourna les talons et se dirigea vers Beth pour examiner les progrès accomplis sur le tronc d'arbre. Ce dernier, maladroitement entaillé en plusieurs endroits, ne risquait pas de tomber avant l'hiver suivant.

— Pourquoi me regardez-vous comme si j'étais le diable ? demanda-t-il en s'approchant de la jeune femme.

— Faites attention avec Jamie, répondit-elle à voix basse.

— Attention ? Pourquoi ? Il est malade ? Il ne devrait pas jouer dehors, dans la neige ?

— Non, Dieu merci ! Ce n'est pas ce que je voulais dire.

Riley perçut sur son visage la lutte intérieure que Beth se livrait à elle-même. Elle leva la hache d'un geste si las que la lame ne s'enfonça pas d'un millimètre dans le bois et rebondit. Aussi, lorsque, à bout de patience, Riley lui arracha l'outil des mains, ne lui opposa-t-elle aucune résistance.

— Riley, mon neveu n'a aucun modèle masculin pour le guider dans la vie, expliqua-t-elle. Je ne voudrais pas qu'il se mette à vous adorer comme un héros.

Stupéfait, Riley suspendit son geste, à deux doigts de se planter la hache dans la jambe. Dans le regard embarrassé de Beth, il devina qu'elle n'exprimait pas tout le fond de sa pensée. Avait-elle compris qu'il n'avait rien d'un brave ? Qu'il était indigne de l'admiration d'un enfant de cinq ans ? Il en avait lui-même parfaitement conscience, alors pourquoi cet étrange pincement au cœur ?

— D'accord, répondit-il, désorienté. Dès que j'aurai coupé cet arbre, je m'en irai.

— Non, je… Je ne voulais pas vous blesser.

Le blesser ! Comme si c'était possible ! Pourtant, que voulait dire cette sourde douleur, au creux de la poitrine ? Etait-ce un bleu au cœur ?

— Il n'y a pas de danger ! rétorqua-t-il avec une feinte assurance.

— Cela ne mènerait à rien qu'il s'attache à vous, poursuivit-elle sans prêter attention à ces dernières paroles. Nous rentrerons bientôt chez nous.

— C'est aussi ce que j'ai l'intention de faire. Dans cinq minutes.

Et, dans un effort désespéré pour fuir cette situation qui se révélait de plus en plus gênante, il acheva d'abattre l'arbre en quelques coups de hache. Puis il le traîna jusqu'à la porte d'entrée et s'appuya contre le chambranle.

— Bon, il est grand temps que je me sauve !

Jamie, qui lui avait emboîté le pas, se planta devant lui, les poings sur les hanches.

— Comment veux-tu que ma tante réussisse toute seule à faire tenir l'arbre debout ? Elle n'y arrive pas à la maison, et nous n'avons même pas un vrai sapin !

— Ne t'inquiète pas, Jamie, intervint Beth. Je me débrouillerai. Riley doit vraiment reprendre la route.

Riley leva les yeux au ciel. Jamie semblait réellement contrarié de le voir partir. Quant à sa tante, elle venait de démontrer de façon navrante comment elle savait « se débrouiller » avec une hache. Bethany Cavell pouvait se révéler dangereuse !

Pourtant, s'il y avait une chose au monde dont il désirait se dispenser plus que tout, c'était de jouer les surhommes. Il avait déjà tenté l'expérience dans le passé, et avait détesté cela. Mais pouvait-il décemment abandonner un pauvre orphelin alors qu'un sapin menaçait d'écraser sous son poids la seule parente qui lui restait, et gâcher ainsi à jamais tous les Noëls à venir ?

Il poussa un soupir.

— D'accord, j'installe l'arbre et ensuite je pars. Pour de bon !

Jamie afficha un sourire de triomphe, convaincu que cette fois encore n'était pas la dernière...

5.

Non sans peine, Riley fit entrer le sapin dans le séjour. Il fallait avouer que cet arbre de Noël ajoutait une touche finale somptueuse (et indispensable) à l'atmosphère chaleureuse que Mary avait créée, et transformait le chalet en autre chose qu'une simple hutte de bois. Celle-ci semblait être devenue un lieu féerique où tout pouvait arriver. Davantage, même ! elle ressemblait à un vrai foyer.

Mais ce n'était pas le sien, s'empressa de se rappeler Riley. D'ailleurs, ce n'était la maison de personne. Une simple cabane de chasse déguisée en logis miniature.

— Où voulez-vous que je l'installe ? s'enquit-il. Jamie, que penses-tu du coin, là-bas ?

Arrivé à l'autre bout de la pièce, il saisit l'arbre par les branches, le mit debout sur son pied et attendit le verdict.

— Non, pas là, décida Jamie en secouant la tête.

Ni ici, ni là, et encore moins à cet endroit… Après que Riley eut déplacé l'épicéa une bonne demi-douzaine de fois, Jamie finit par opter pour l'emplacement devant la fenêtre.

Riley jeta un coup d'œil à sa montre. Une demi-heure s'était déjà écoulée ! A quoi jouait Jamie ? Essayait-il de retarder son départ, voire de l'empêcher de s'en aller ?

Sans prêter attention à l'homme qui maintenait le sapin debout, Beth examina l'arbre d'un œil critique, la tête penchée sur le côté.

Riley se sentit soudain mal à l'aise. Avec ses joues rosies par le froid, la jeune femme avait l'air plus hardie qu'auparavant. Moins réservée, moins *sage* ! Les yeux étincelants, elle devait sûrement considérer qu'installer un sapin de Noël constituait l'activité la plus excitante du monde.

— Un peu plus à gauche, ordonna-t-elle, avec l'air d'un propriétaire de galerie d'art qui accroche un Van Gogh au mur. Et pourriez-vous le tourner juste un petit peu ? Il y a une branche dénudée, là, à cet endroit.

Et, sur ces mots, elle rougit jusqu'aux oreilles, comme si c'était à une partie de son propre corps qu'elle venait de faire allusion.

Riley obéit. Mais la rougeur qui avait envahi le visage de la jeune femme dévia le cours de ses pensées. Et, à l'évocation de sa nudité, il se sentit tellement gêné qu'il se cacha la tête derrière une branche. Au moins, de là, pourrait-il continuer à observer Beth sans qu'elle s'aperçût que des pensées inavouables envahissaient son esprit.

Jamie finit par approuver sans réserve le nouvel emplacement de l'épicéa.

— Laisse-le ici, décida-t-il. C'est le plus beau sapin de Noël du monde, tu ne trouves pas, Riley ?

— Oui, pas mal, répondit ce dernier avec détachement.

— Absolument parfait, comme s'il nous apportait le bonheur, confirma Beth.

Cependant, ce n'était pas un épicéa qui occupait l'esprit de Riley en cet instant. Que n'eût-il donné pour entendre Beth prononcer ces derniers mots en des circonstances plus intimes !

La jeune femme tendit la main à son neveu.

— Viens avec moi, Jamie. Nous allons faire des guirlandes de pop-corn pendant que Riley installe le sapin.

— Non ! s'exclama le petit garçon. Nous, les hommes, nous allons nous en occuper ensemble !

La moue contrariée de Beth n'échappa pas à Riley.

— Nous en avons pour trois minutes, affirma-t-il pour la rassurer.

Pas assez longtemps pour nouer des liens indissolubles, que diable !

L'enfant sur ses talons, Riley sortit du chalet et se glissa sous le sol surélevé où il rangeait de vieux outils et quelques morceaux de bois.

— Nom de nom ! s'exclama-t-il. On dirait que nous avons eu la visite d'un porc-épic. Il a presque dévoré le manche de mon marteau.

— Un vrai porc-épic ? demanda Jamie, en jetant un regard autour de lui. Où est-il ? Je veux le voir.

— Il n'en est pas question ! Les porcs-épics ne sont pas des animaux de compagnie. Ils piquent encore plus que les épicéas.

Devant le désappointement de l'enfant, il ajouta :

— Tiens, regarde, il t'a laissé un piquant. Mais fais attention de ne pas te blesser. Et, si ta tante ou toi tombez nez à nez avec lui, ne l'approchez surtout pas. Les porcs-épics peuvent être très méchants.

Jamie prit le piquant dans ses mains comme s'il s'agissait d'un trésor. Avec la même révérence que le futur roi Arthur recevant l'épée Excalibur, songea Riley attendri.

Lorsqu'ils regagnèrent le seuil du chalet, Riley s'immobilisa un instant. L'odeur de l'épicéa avait envahi la pièce, mêlée à présent à celle du pop-corn. Pour un endroit qu'il ne voulait pas qualifier de « *home sweet home* », l'illusion était particulièrement trompeuse !

Il jeta un regard vers le coin cuisine où Beth s'employait à faire éclater des grains de maïs sur le réchaud. Au moins n'avait-elle pas provoqué d'explosion, cette fois ! C'était bon signe. Elle n'avait plus besoin de lui.

Riley sentit soudain une vague de nostalgie l'envahir. Beth semblait si douce, si féminine ; le genre de femme que tout homme sensé aspirait à retrouver chaque soir en rentrant chez lui. Mais il se ressaisit bientôt. Heureusement pour lui, il n'était pas raisonnable et ne nourrissait plus aucun rêve depuis longtemps. Pourtant, ce désir presque douloureux n'était pas entièrement inconnu. Ce n'était que le besoin d'un homme de ne pas vivre seul.

D'un geste brusque, il installa par terre ses outils et entreprit de découper du bois pour fabriquer le support du sapin, sous l'œil attentif de Jamie. Alors qu'il s'apprêtait à assembler les morceaux en forme de X à l'aide de quelques clous — ce qui, pensait-il, ne lui prendrait que trois minutes — son regard croisa celui, empli d'espoir, du petit garçon.

— D'accord, soupira Riley, fais-le toi-même, puisque tu en as tellement envie.

Il enfonça légèrement un clou dans le bois puis tendit le marteau à Jamie qui le remercia d'un sourire rayonnant. L'enfant, tirant la langue, visa soigneusement et, des deux mains, abattit de toutes ses forces le marteau sur le clou... qu'il manqua ! Il poussa un juron et jeta aussitôt un coup d'œil anxieux vers sa tante. Dieu merci, celle-ci n'avait rien entendu !

— Tu ne dois pas utiliser de gros mots, souffla Riley.

— Tu le fais bien, toi !

— Ce n'est pas une raison.

— Pourquoi ?

— Euh, d'accord, je ne le ferai plus, concéda Riley, embarrassé d'avoir été remis à sa place par un petit bonhomme d'à peine un mètre de haut.

— Alors, moi non plus.

Avec soulagement, Riley se rendit compte qu'il échapperait probablement aux foudres de Beth, du moins pendant les trois minutes qu'il lui faudrait pour terminer son travail avant de s'esquiver.

Mais il ne tarda pas à s'apercevoir que cela prendrait beaucoup plus de temps qu'il ne le pensait.

Malgré plusieurs essais infructueux et quelques clous tordus, Riley résista à la tentation d'arracher le marteau des mains de Jamie, et de terminer le travail à sa place. La patience qu'il manifestait l'étonnait lui-même. Mais ce qui était encore plus inhabituel, c'était ce sentiment de fierté qui gonflait sa poitrine. Les pères qui passaient de tels moments avec leurs fils tous les jours étaient-ils conscients de la chance qui leur était accordée, de pouvoir guider les premiers et maladroits efforts qui, peu à peu, feraient de leurs fils des hommes ?

Il ressentit de nouveau cette étrange amertume, un sentiment de manque qui lui étreignit le cœur. Et des souvenirs douloureux qu'il s'efforça de fuir.

Il secoua la tête pour chasser ses pensées moroses, et examina attentivement le résultat des efforts appliqués de Jamie.

— C'est parfait, décréta-t-il en hochant la tête.

Mal à l'aise, il observa le visage inondé de bonheur de l'enfant, et aussi rayonnant que celui d'un champion qui vient de recevoir une médaille. C'était certes la première fois de sa vie qu'il faisait passer les désirs d'un petit garçon avant les siens. N'était-ce pas le signe qu'il se trouvait sur le point de s'attacher dangereusement à Jamie ?

Ils achevèrent de renforcer le support à l'aide de quelques clous, et y fixèrent le pied du sapin qu'ils hissèrent debout. L'arbre restait pourtant légèrement de guingois. Le devoir de Riley était accompli, il pouvait enfin s'esquiver.

Les bras croisés, Beth les considéra avec un sourire non dissimulé.

— Quelque chose ne vous plaît pas ? demanda Riley, sur la défensive.

— Non, au contraire. A la maison aussi, notre sapin est souvent de travers !

— Au moins, celui-ci n'est pas artificiel !

Quelque peu mortifié, Riley ne put retenir une moue vexée. Il était plus que temps de prendre le large ! Ce n'était pas un petit bout de femme, citadine de surcroît, qui allait lui apprendre comment installer un véritable sapin de Noël !

Ignorant la remarque, Beth proposa :

— Voulez-vous du chocolat chaud ? Avec du pop-corn ?

Riley sentit sa bouche saliver. C'était un piège ! Il devait à tout prix éviter de tomber dans le panneau.

— Non ! s'exclama-t-il.

Puis, se souvenant que Jamie lui avait octroyé le statut d'exemple à suivre, il ajouta :

— Mais je vous remercie de votre invitation.

— S'il te plaît, Riley ! intervint le petit garçon. Je te donnerai mes marshmallows !

Riley hésita. On lui avait rarement fait une telle offre, et de si bon cœur ! Néanmoins, il ne fléchit pas.

— Non, vraiment, je ne peux pas rester, expliqua-t-il, en s'efforçant de rester insensible à la déception de l'enfant. A cause de la neige, tu comprends ?

Visiblement, Jamie ne saisissait pas la raison pour laquelle son nouvel ami devait absolument le quitter. Mais celle-ci n'échappait pas à sa tante, et cela le décida à se montrer conciliant.

— Merci pour le sapin, dit-elle d'une voix douce.

— Merci de m'avoir appris à faire des anges dans la neige, renchérit Jamie. Et de m'avoir laissé t'aider.

Riley sentit son cœur fondre. L'enfant lui pardonnait son départ avec la même générosité qu'il lui avait offert sa part de marshmallows. Ç'avait été si facile, de laisser un petit garçon donner un coup de main ! Et pourtant, cela faisait naître sur le visage de celui-ci un sourire aussi lumineux que s'il s'était agi d'un cadeau précieux.

En voyant le regard empli de tendresse dont Beth enveloppait son neveu, Riley ne put se défendre d'une pointe de convoitise. Comme il devait être délicieux d'être aimé d'une femme comme elle !

Il fallait fuir cet endroit sans attendre ! Trop de pièges, trop de tentations ! Les savoureuses odeurs de la cuisine, l'adoration d'un enfant, la douceur d'une femme, toutes choses à damner l'âme d'un homme. Ce n'était pas à lui de se ronger les sangs si Beth et Jamie demeuraient seuls ici pour Noël.

Soudain, le souvenir du regard de la jeune femme lorsqu'il lui avait demandé si personne ne prenait soin d'elle lui revint en mémoire. Un regard qui en disait long ! De toute évidence, si quelqu'un au monde se souciait d'eux, Beth et Jamie ne se seraient pas trouvés là. Tout seuls. S'apprêtant à fêter Noël en tête à tête.

Ils devaient attendre un miracle, conclut-il en son for intérieur. Et cela, il n'y pouvait rien, pas plus qu'il n'était en son pouvoir de remédier à leur solitude. Le mieux qu'il pût faire pour les aider, c'était de disparaître, avant que des liens ne se créent.

— Alors, vous avez bien tout compris ? Vous pensez à la trappe d'aération, et surtout n'oubliez pas de craquer l'allumette avant d'allumer le gaz, et…

— Comptez sur moi, interrompit Beth, ironique.

Riley se mordit la lèvre. Pas étonnant que la jeune femme le regardât d'un air narquois ! Il croyait entendre sa propre mère lui faire des recommandations ! Mais, dans les yeux railleurs de Beth, ne percevait-il pas une lueur de tristesse de le voir partir ? Ou bien n'était-ce que le fruit de son imagination ?

Il tourna les talons et se dirigea d'un pas ferme vers la porte. Surtout, ne pas regarder Jamie, songea-t-il. Sinon, tout courage l'abandonnerait, et il serait perdu.

Mais une force irrésistible le poussa à jeter un coup d'œil pardessus son épaule. Dans le regard de l'enfant qui le fixait en silence, il distingua, non seulement cette vénération qui le mettait mal à l'aise, mais un sentiment plus profond… quelque chose comme une inextinguible soif d'amour.

Terrifié, Riley se rua dehors, jeta ses outils sous le plancher du chalet et se précipita vers sa camionnette. La neige, dans laquelle il s'enfonçait jusqu'aux chevilles, avait recouvert le véhicule d'une épaisse couche blanche. Après avoir essuyé à la hâte son pare-brise, il grimpa sur son siège, mit le contact et s'engagea sur le chemin enneigé.

Les roues du véhicule patinèrent dangereusement, et à plusieurs reprises, Riley dut redresser de justesse le volant pour ne pas glisser sur le bas-côté de la route. Ce qui ne laissait pas de l'inquiéter : il y avait de grandes chances pour qu'il ne fût pas en mesure de revenir au chalet avant plusieurs jours ! Beth et Jamie ne pourraient alors plus compter que sur eux-mêmes… Certes, la jeune femme était adulte, il lui avait offert de la ramener au village, et elle avait refusé. Mais était-ce une raison pour l'abandonner, seule avec un enfant, alors qu'elle ignorait tout des réalités de l'hiver canadien ? Et s'il se mettait à faire vraiment froid ? Jusqu'à maintenant, ils n'avaient dû affronter qu'un léger rafraîchissement de l'air ; mais des températures qui descendent à —30° C ou —40° C ? Les deux citadins auraient-ils le bon sens de ne pas mettre le nez dehors ? Quelle expérience avaient-ils du froid, ces deux natifs de l'Arizona ?

Il soupira. D'accord, promit-il à sa conscience qui le tourmentait, s'il fait vraiment froid, je reviendrai.

Clignant des yeux, il se concentra sur la route. Pendant au moins vingt secondes !

De nouveau, mille inquiétudes l'assaillirent. Et s'il leur venait l'idée de se servir de la vieille luge ? Beth avait beau être prudente, aurait-elle la sagesse de ne pas mettre leur vie en péril en s'aventurant sur des pentes trop dangereuses ?

Riley fixa son attention devant lui pendant encore dix secondes.

Et si le porc-épic revenait ? La jeune femme ne manquerait pas d'être terrorisée par le bruit qu'il ferait en grattant sous le plancher ! Sans compter que Jamie essaierait probablement de l'attraper et se ferait gravement piquer.

Et il y avait aussi le réchaud à gaz, qui présentait bien des risques. Beth n'allait-elle pas, un jour, oublier de craquer l'allumette *en premier* ?

Tout se passerait bien, essaya-t-il de se convaincre. Il n'y avait aucune raison pour que le porc-épic revienne, ou que le réchaud explose.

Riley Keenan n'était pas le genre d'homme à se faire du souci pour rien. Toutefois, en cet instant précis, il ne pouvait se débarrasser d'un nœud d'angoisse qui s'était formé au creux de son estomac. C'était à cause de Noël, finit-il par admettre. Le souvenir sinistre d'un certain feu qui pesait sur son âme, depuis ce soir de réveillon où il avait tenté de toutes ses forces… et avait complètement échoué.

Pas complètement, lui dit une petite voix au plus profond de son être.

Mais il refusa de l'écouter. Il y avait trois enfants, ce soir-là. Et il n'en avait trouvé que deux.

Aussi cette angoisse irraisonnée, ce sentiment d'un désastre imminent n'avaient-ils aucun rapport avec Beth et Jamie. Ce n'était que sa manière de ressentir Noël. Les autres éprouvaient de la joie et de la bonne humeur au moment des fêtes de fin d'année. Pour lui, c'était une période sombre qui ravivait des souvenirs déchirants.

Un doute affreux lui tortura bientôt l'esprit. Et si cette sourde inquiétude qui le rongeait n'était pas liée à sa mémoire, mais l'avertissait d'un réel danger ?

Un pressentiment ! grommela-t-il entre ses dents. Pourquoi ne pas prédire l'avenir pendant que tu y es, cow-boy ?

C'est à cet instant, alors qu'il s'engageait dans un virage serré, que le pick-up se mit à glisser en travers du chemin. Malgré tous les efforts de Riley pour redresser le véhicule, celui-ci vint s'enfoncer dans une congère en contrebas de la route, et s'immobilisa, le capot enfoui dans la neige.

Les mains crispées sur le volant, Riley pesta à voix haute, puis, avec résignation, il ouvrit sa portière et sortit. Après avoir fait le tour du véhicule en l'inspectant soigneusement, il constata, soulagé, que les dégâts subis étaient minimes, et se rendit compte qu'il était en mesure de dégager le pick-up. Mais à quelle fin ? Pour glisser de nouveau, un peu plus loin sur la route ? A cet endroit, du moins, ne se trouvait-il qu'à vingt minutes de marche du chalet. Et, si la neige continuait à tomber, que deviendrait la route d'ici au lendemain ?

Il n'hésita que quelques secondes. La vie ne venait-elle pas de lui offrir un prétexte pour de retourner auprès de Beth et Jamie et s'assurer qu'ils passeraient un Noël sans danger ? Peut-être lui fournissait-elle aussi l'occasion de racheter l'erreur qu'il avait commise ce soir de Noël où il avait échoué à sauver un enfant. Cette nuit qui, depuis, ne cessait de le hanter.

— Le chalet a l'air différent quand il n'est pas là, observa Jamie.

Les sourcils froncés et les joues barbouillées de chocolat, l'enfant s'appliquait à confectionner des guirlandes de pop-corn dont il décorait les branches de l'épicéa.

Bien que le bon sens eût été d'effacer Riley de leurs pensées à tous les deux, Beth ne pouvait s'empêcher d'éprouver le même sentiment que son neveu. Elle ressentait l'absence de leur hôte avec la même intensité qu'elle avait savouré sa présence. Le chalet semblait déserté, comme si toute vie l'avait quittée avec le départ de son propriétaire. Pourtant, celui-ci n'était pas exactement un boute-en-train, loin de là, mais il possédait une confiance en soi bien masculine, et de son être entier émanait une énergie communicative. Riley Keenan était doté d'une force d'âme dont bénéficiaient tous ceux qui l'entouraient.

Beth esquissa un rictus moqueur. Qui croyait-elle abuser ? Ce n'était pas la force d'âme du cow-boy ni son énergie, qui lui manquaient. Cet homme était tout simplement si séduisant que, lorsqu'il entrait dans une pièce, le reste du monde s'évanouissait et n'importe quelle femme se serait damnée pour un regard de lui.

Occupée à faire éclater des grains de maïs sur le réchaud, Beth ne s'était pas privée de détailler du coin de l'œil la silhouette virile de Riley serrée dans son blue-jean. Et c'était avec un frisson involontaire qu'elle avait remarqué la solide musculature de ses bras.

Oh, non ! le départ de cet homme était après tout ce qui pouvait arriver de mieux, une vraie bénédiction !

La voix de Jamie arracha Beth à ses réflexions.

— Je suis sûr qu'il revient pour nous !

Beth s'agenouilla près du petit garçon et le prit dans ses bras. Comment lui faire comprendre que certaines commandes n'entraient pas dans le domaine des compétences du Père Noël ? Comment lui avouer qu'elle avait lu sa lettre et connaissait son vœu le plus cher ? Et lui expliquer que celui-ci ne se réaliserait pas ? Une seule prière non exaucée pouvait-elle causer des dommages irréparables dans le cœur d'un enfant ? Mais la neige pour laquelle elle avait déployé tant d'efforts ne comptait-elle pas ?

— Jamie, il ne faut pas que tu sois déçu si Riley ne revient pas, d'accord ?

L'enfant se dégagea de l'étreinte de sa tante et se précipita vers la fenêtre.

— Mais, je viens de le voir ! Il est là-bas, sur la route.

La jeune femme le rejoignit et regarda à travers la vitre. Pas de doute ! cette silhouette au loin était bien Riley Keenan. Sous ses pas, la neige crissait, sans ralentir sa démarche tranquille et puissante.

A mesure qu'il approchait, Beth sentit les battements de son cœur s'accélérer.

— Il a dû avoir un problème avec sa camionnette. Il est probablement revenu pour...

Elle s'interrompit. Pour quoi faire ? Pour utiliser le téléphone ? Il n'y en avait pas, dans le chalet. Elle ne trouva pas les mots pour achever sa phrase. La réapparition de Riley lui compliquait la vie. Il la troublait, elle devait l'avouer. Il la faisait rougir et bredouiller comme une adolescente paralysée par le regard du plus beau garçon de la classe. Pourtant, au plus profond de son être, Beth était heureuse que Riley Keenan fût de retour.

Feignant l'indifférence, elle attendit qu'il frappât à la porte avant de lui ouvrir. Elle pensa un moment l'accueillir avec un trait d'esprit — Penny l'aurait salué d'un « Vous ici ? Quelle surprise ! » — mais, lorsqu'elle se trouva face à lui, son élan d'ironie la déserta, et elle resta plantée là, sur le seuil de la porte, sous l'emprise de son charme viril.

Faisant mine de ne pas remarquer qu'elle le dévisageait bouche bée, Riley entra en annonçant :

— Ma camionnette a dérapé. J'ai dû la laisser sur le bord de la route.

— Vous devez être frigorifié, dit-elle en refermant la porte derrière lui.

— J'avais une parka et des bottes dans la cabine. Vous savez, dans ce pays, nous devons être prêts à tout dès que l'hiver arrive.

— Tu restes pour le réveillon ? intervint Jamie, sautant de joie à cette idée.

— Ça dépendra de la durée de la tempête.

Alors seulement, Beth comprit les implications du retour de Riley. Il n'était pas revenu pour leur signaler qu'il avait eu un accident, ni pour demander leur aide. Quel secours auraient-ils été en mesure de lui apporter, grands dieux ? S'il avait regagné le chalet, c'était parce qu'ils y étaient irrémédiablement bloqués par la neige. Tous les trois. Ensemble.

En proie à une agitation irrépressible, elle se détourna :

— Si vous avez faim, le déjeuner est prêt, proposa-t-elle.

— Et après, tu peux m'aider à décorer le sapin, ajouta Jamie. J'ai déjà mis les guirlandes de pop-corn. Viens voir, ajouta-t-il en tirant Riley par la manche.

Non sans marmonner quelque peu, celui-ci suivit le petit garçon et, à la grande joie de celui-ci, lui promit son aide.

Pourtant, dans sa voix et dans toute son attitude, Beth perçut la contrariété que le cow-boy s'efforçait de dissimuler. Ce dernier ne s'intéressait nullement à la décoration des arbres de Noël, et encore moins à une jeune femme et un enfant perdus en pleine tempête de neige. Ils le gênaient, elle en était certaine, et ce n'était pas par choix qu'il était revenu. Il essayait simplement de composer avec cette situation dont il n'était pas responsable, et de les sortir du mauvais pas où ils s'étaient mis.

Beth ne put réprimer un sourire. Se pouvait-il que le Père Noël eût le sens de l'humour ? C'était tellement absurde, de se retrouver bloquée dans cette adorable maisonnette, en compagnie d'un homme terriblement sensuel que la perspective de Noël rendait morose.

C'était injuste !

Et c'était la chose la plus excitante qui lui fût jamais arrivé de toute sa vie !

6.

— Ça, c'est la boule de mon premier Noël, expliqua Jamie. Tu vois, il y a mon nom écrit dessus. Je voudrais que tu l'accroches tout en haut du sapin.

Jamie n'avait pas mis longtemps à saisir que leur invité de dernière minute possédait un avantage de taille : il n'avait pas besoin d'un tabouret pour atteindre les plus hautes branches de l'arbre de Noël !

De son côté, Bethany éprouvait quelque dépit. Elle avait conçu, un peu hâtivement, elle le savait, des espoirs insensés en voyant arriver à l'improviste le fascinant cow-boy, condamné par les conditions climatiques à passer les fêtes avec elle. Cependant, Riley, déjà taciturne de nature, était devenu de plus en plus distant au cours du déjeuner. Poli, mais réservé, il donnait l'impression de remplir un devoir. Pourquoi diantre agissait-il ainsi ? Pourquoi son silence semblait-il signifier que c'était leur faute si son véhicule avait dérapé ? Peut-être pensait-il qu'en partant plus tôt, il aurait évité l'accident et n'aurait pas eu à rejoindre le chalet. Devait-il pour autant les en tenir pour responsables ?

Beth observait Riley qui ne cherchait plus à cacher son humeur maussade. Sur son visage figé, les muscles de sa mâchoire se crispaient, comme s'il grinçait des dents.

— Vous savez, lui dit-elle avec douceur, décorer un sapin de Noël est d'habitude un plaisir. J'imagine que vous avez des millions de choses plus amusantes à faire, mais pour le moment vous ne pouvez aller nulle part. Alors pourquoi ne pas essayer de profiter de l'instant présent ?

Riley haussa les sourcils, surpris que la jeune femme eût si bien lu dans ses pensées.

— Des choses plus amusantes ? Non, ce n'est pas à ça que je pensais. Simplement, je n'éprouve aucune joie à l'approche de Noël.

— Je m'en doutais bien un peu !

— Je suis désolé de vous gâcher la fête, à vous et à Jamie. Je fais de mon mieux pour ne pas le montrer, je vous assure.

Il hésita une seconde, accrocha l'étoile argentée sur la pointe de la branche, puis reprit :

— Vous avez raison. Il y a des choses plus utiles, sinon plus amusantes, que je pourrais faire. Par exemple, aller couper du bois pour le poêle.

Déconcertée, Beth le regarda s'éloigner. Couper du bois n'était pas exactement ce qu'elle entendait par « profiter de l'instant présent » ! C'était plutôt à se joindre à sa joie et à celle de Jamie, qu'elle pensait. Mais comment faire comprendre cela à un ours mal léché ?

Peut-être était-il préférable, après tout, de ne pas tenter de s'immiscer dans la vie de Riley Keenan. Celui-ci n'était certes pas le genre d'homme avec lequel elle savait s'y prendre ! Il n'était que de constater le naufrage de sa relation avec Sam, un agent immobilier somme toute très ordinaire, et qui ne ressemblait en rien à l'homme séduisant qui se trouvait devant elle en ce moment. Au demeurant, qu'avait-elle jamais trouvé de charmant chez Sam ? Absolument rien, elle pouvait l'avouer à présent ! Rien, sinon que, jeune fille timide vivant dans l'ombre de sa sœur, elle avait été flattée lorsque celui-ci l'avait invitée à sortir et ravie qu'il s'intéressât à elle. Elle ne s'était même jamais demandé quels sentiments *elle* éprouvait à son égard, tant elle trouvait suffisant qu'il eût quelque affection pour elle.

Mais les choses étaient différentes, maintenant. Beth avait tourné une page, et engagé un nouveau tournant dans son existence ; elle avait commencé à prendre sa vie en main le jour où elle avait téléphoné à

Mary Keenan à propos d'un chalet à louer. Une nouvelle femme était née alors. Plus audacieuse, plus intrépide. Toutefois, ce que cela signifiait en termes pratiques dans la situation présente, elle ne l'envisageait pas sans une certaine appréhension. Quelle attitude adopter, par exemple, en présence d'un homme incroyablement sexy qui faisait mine de l'ignorer ? Devait-elle suivre son instinct, satisfaire toutes ses envies, ou au contraire, les maîtriser ? Quels autres dilemmes aurait-elle à affronter, à l'avenir ? Nul doute que son ancienne vie lui avait posé moins de problèmes !

Se précipitant sur les pas de Riley, Jamie s'écria :

— Attends-moi, je viens avec toi !

— Pas cette fois, objecta Riley fermement, tu restes ici pour aider ta tante.

Et, sans attendre, il sortit en claquant la porte derrière lui.

— Il ne m'aime pas ! s'exclama Jamie, la voix brisée.

— Mais si, voyons, il t'aime beaucoup. Il n'a rien contre toi, j'en suis sûre, affirma Beth.

Elle était certaine de dire la vérité. Du moins essayait-elle de s'en convaincre. Elle n'avait tout de même pas rencontré un homme attirant en diable pour s'apercevoir qu'il n'avait que faire de l'enfant confié à sa charge. Pas lui ! s'écria-t-elle en son for intérieur. L'histoire n'allait pas se répéter ! C'était précisément pour cette raison qu'elle s'était juré de garder ses distances avec les hommes. Par quelle ironie du sort fallait-il qu'elle se retrouvât dans un chalet isolé, en compagnie d'un représentant de la gent masculine ? Et pas n'importe lequel ! Tout simplement, l'homme le plus viril, le plus beau et le plus sensuel du monde !

Beth se frappa le front. Voilà la réponse aux questions qu'elle se posait ! Son indépendance nouvellement acquise impliquait qu'elle devait résister aux tentations et non y succomber. La présence de Riley sous ce toit n'avait d'autre but que de tester sa détermination. Et elle avait bien l'intention de remporter la victoire !

Ravalant son chagrin, Jamie reprit :

— J'aime tellement travailler avec lui !

— Jamie, il ne veut pas de ton aide, dit Beth, tentant de dissuader l'enfant de nourrir un vain espoir.

Mais, devant le regard bouleversé du garçonnet, elle se rendit compte immédiatement que ses paroles avaient été trop brutales. Décourager un enfant était une chose, le désespérer en était une autre.

— Couper du bois n'est pas une tâche facile pour un petit garçon, ajouta-t-elle pour se rattraper. Cela peut être très dangereux. Ecoute, j'ai apporté des piles pour le lecteur de cassettes. Veux-tu écouter des chants de Noël pendant que nous finissons de décorer le sapin ?

— Non, il faut garder les piles pour le réveillon.

Beth poussa un soupir. Le silence qui régnait dans la pièce rendait d'autant plus pesante l'absence de Riley que le cognement régulier de la hache était perceptible au-dehors. Aussi, au bout d'une demi-heure, la jeune femme n'y tint-elle plus. Elle n'était pas de marbre, que diable ! Prétextant qu'elle avait besoin d'une autre boîte de décorations, elle se précipita dans sa chambre pour regarder par la fenêtre qui donnait sur l'arrière de la maison. Jeter un petit coup d'œil, ce n'était pas céder à la tentation !

La remise à bois se dressait parmi les arbres, derrière le chalet, et semblait déjà pleine à craquer de bûches soigneusement empilées. Riley se tenait devant, indifférent aux énormes flocons de neige qui tourbillonnaient autour de lui.

Beth le regarda soulever sans effort la hache par-dessus son épaule et l'abattre sur un morceau de bois qui se fendit en deux, d'un seul coup. Sans s'arrêter pour reprendre son souffle, il posa une autre bûche sur le billot.

Fascinée, Beth ne pouvait détacher son regard de cette démonstration de pure force virile, mais elle était un peu honteuse de son manque de maîtrise de soi. Il n'y avait rien de répréhensible à regarder un tel spectacle, se dit-elle pour se justifier. Après tout, se serait-elle sentie coupable si, au cinéma, elle avait levé des yeux admiratifs sur le héros d'une comédie romantique ? Finalement, on ne lui laissait guère le choix : il n'y avait même pas de télévision, ici !

A contrecœur, Beth finit par s'arracher à son poste d'observation et retourna auprès de Jamie. Le sapin commençait à prendre fière allure ; pas assez, cependant, pour retenir toute l'attention de la jeune femme.

— Je me demande si Buddy Bear n'a pas besoin d'un gilet ! s'exclama-t-elle.

Puis, rouge d'embarras, elle guetta l'acquiescement de Jamie avant de se hâter vers la petite chambre.

Ignorant qu'il était observé, Riley avait ôté son chandail. Dans l'étoffe trempée de sueur de sa chemise, les muscles de son large torse saillaient sous l'effort.

Et c'était avec cet homme que Beth allait devoir passer la nuit. Dans les mêmes murs ! Le cœur battant, elle revint en courant dans le séjour, se jurant de ne plus abandonner ses bonnes résolutions relatives à l'espèce masculine.

Satisfait de l'apparence de son arbre de Noël, Jamie décréta que son travail était terminé et ajouta :

— Je vais jouer dehors dans la neige avant qu'il ne fasse nuit.

— Bonne idée ! s'empressa de répondre Beth. Je viens avec toi.

Lorsqu'ils eurent enfilé des vêtements chauds, Beth se trouva une ressemblance comique avec un bibendum et s'aperçut, vexée, que Jamie pouffait de rire en la regardant. Une bonne raison pour se tenir le plus loin possible de Riley Keenan, décida-t-elle.

Pendant quelques minutes, elle se consacra entièrement au plaisir de jouer avec Jamie. Ils dessinèrent de nouveaux anges dans la neige, puis inscrivirent leurs noms en lettres géantes sur le sol, en tassant la couche poudreuse à coups de talons.

A bout de souffle, Jamie s'assit un moment par terre et suça les flocons accrochés à ses mitaines.

— Allons voir ce que fait Riley, proposa-t-il.

Beth acquiesça. Puisque c'était Jamie qui le suggérait, elle pouvait difficilement refuser de rejoindre le cow-boy.

Les yeux écarquillés, Jamie la fixa :

— Tante Beth, pourquoi tu es toute rouge ?

— C'est à cause du froid, mentit-elle. Toi aussi, tes joues ressemblent à de grosses pommes.

Avec un rire joyeux, Jamie se dirigea vers l'arrière du chalet, tandis que Beth faisait mine de le suivre contre son gré.

Riley, qui avait interrompu son travail, reprenait son souffle, appuyé sur la hache plantée sur le billot. Insensible aux flocons qui fondaient sur ses bras nus, il s'était débarrassé de sa chemise.

Beth ne put se défendre de river son regard sur l'ample carrure du cow-boy. Son T-shirt collait aux muscles puissants de son torse et de son dos, à ses abdominaux fermes et plats. Sa respiration profonde soulevait ses larges épaules. En entendant ses hôtes arriver, il releva la tête, et la jeune femme remarqua que son visage était couvert de sueur. Ses cheveux mouillés bouclaient sur ses tempes. Couper du bois ne semblait pas un travail de tout repos !

S'emparant de son pull-over, Riley s'en essuya le front, puis l'enfila.

— On attrape vite froid dès qu'on arrête de travailler, dit-il, affectant d'ignorer la lueur qui brûlait dans le regard de la jeune femme.

Consciente du spectacle navrant qu'elle devait lui offrir, Beth se ressaisit. Si ces dernières heures lui avaient appris une chose, c'était bien l'étendue de son impuissance à maîtriser ses fantasmes. Peut-être, après tout, n'était-il pas dans sa nature de devenir une femme solide et responsable. Heureusement qu'elle avait assez de bon sens pour ne pas se jeter à la tête du premier bel inconnu rencontré sur son chemin ! Si Riley ne tentait rien de son côté, elle n'avait pas grand-chose à craindre. Et, à en juger par la manière dont il s'était jusqu'alors comporté avec elle, il n'était pas homme à faire les premiers pas. Tant mieux.

Tant mieux ? La jeune femme sentit un frisson lui parcourir l'échine lorsqu'elle vit Riley abattre d'un seul coup sa hache dans le billot, faisant vibrer tous les muscles de son corps parfait dans ce seul mouvement.

Puis, aidé de Jamie, il se mit à ramasser le bois éparpillé autour de lui.

Beth ravala sa salive et détourna le regard. Elle n'avait rien à faire là, elle le comprenait.

— Je vais préparer le dîner, lança-t-elle pour se donner une contenance.

Riley lui jeta un bref coup d'œil.

— Va aider ta tante, ordonna-t-il à Jamie.

— Non, je reste avec toi ! protesta le petit garçon.

Riley considéra un instant son jeune admirateur, haussa les épaules et tourna les talons.

Jamie reprit ses occupations d'apprenti ramasseur de bois, le visage épanoui.

De retour dans le chalet, Beth affronta le dilemme qui se présentait à elle. D'un côté, elle brûlait d'envie de gagner les faveurs de Riley en lui confectionnant le meilleur dîner qu'il eût jamais goûté. De l'autre, elle percevait, non sans sagesse, ce que cela impliquait — le début d'une danse vieille comme le monde entre un homme et une femme, un ballet dont, se rappela-t-elle avec amertume, elle ne connaissait pas les figures.

Aussi se plongea-t-elle dans la lecture d'un roman dont elle dévora la moitié d'une traite, au lieu de se mettre aux fourneaux. Mais, lorsque, quelque temps après, elle entendit les voix de Jamie et de Riley s'approcher du seuil de la cabane, elle se rendit compte avec embarras qu'elle n'avait pas retenu un mot de l'histoire. Toutefois, déterminée à ne rien laisser paraître de son désarroi, elle se leva d'un bond du canapé, ouvrit deux boîtes de ragoût en conserve et en vida le contenu dans une casserole.

Riley jeta un regard au réchaud par-dessus l'épaule de Beth et, sans un mot, sortit du placard un saladier qu'il remplit de farine. Quelques secondes plus tard, il faisait frire une mixture à base d'avoine dans une énorme poêle.

Une odeur alléchante ne tarda pas à se répandre dans la pièce, encore plus délicieuse que celles du pop-corn et de l'épicéa réunies.

— Qu'est-ce que c'est ? interrogea Beth en se penchant vers lui.

— Du pain frit qu'on appelle « bannock ». Ça accompagne très bien le ragoût. C'est un ami indien qui m'a appris à le préparer.

Beth échangea un regard avec Jamie qui, discrètement, étirait les lèvres pour former les mots silencieux : « Il sait aussi cuisiner ! » Ce qui, bien sûr, faisait franchir au cow-boy un niveau décisif dans l'échelle des valeurs que l'enfant appliquait aux papas potentiels, car, il fallait l'avouer, excepté un don certain pour faire éclater le pop-corn, Beth n'avait rien d'un cordon-bleu.

Elle soupira. Sans doute la découverte d'une aussi précieuse qualité aurait dû faire monter Riley dans sa propre estime... Bien qu'elle ait décidé de bannir les hommes de sa vie ! Se tenir aux côtés d'un séduisant cuisinier pour partager avec lui la responsabilité de préparer le repas avait quelque chose d'enivrant, elle l'admettait. Jadis, dans l'esprit de Sam, dîner ensemble signifiait qu'elle faisait la cuisine pendant que lui zappait d'une chaîne de télévision à l'autre.

— Tenez, dit Riley, goûtez ça.

Beth se pencha pour saisir entre ses lèvres la bouchée de pain brûlant qu'il lui tendait. Soudain, la température sembla s'élever de plusieurs degrés dans la pièce, et l'atmosphère devint propice à une intimité des plus gênantes.

En proie à un trouble grandissant, la jeune femme commença à respirer avec difficulté. Les mots lui manquaient, elle ne savait plus où poser son regard. Etait-ce un rêve qui se réalisait, ou un cauchemar ? Probablement un peu des deux.

« Ne résiste pas, lui souffla la petite voix en son for intérieur. Laisse-toi aller. »

Cette voix, Beth ne la connaissait que trop. C'était celle qui, tout l'après-midi, avait essayé de vaincre ce qui lui restait de bon sens en lui faisant remarquer combien le cow-boy paraissait sexy dans son blue-jean et son T-shirt mouillé de sueur.

Mais elle n'abdiquerait pas ! Non tant par fierté que pour l'enfant dont elle avait la charge. Et le seul moyen de ne pas céder à la tentation était encore de fuir au plus vite !

— Je ne me sens pas très bien, bredouilla-t-elle. Je... je crois que je vais m'allonger un moment. Excusez-moi.

Interdit, Riley la regarda, puis considéra le reste du morceau de bannock qu'il tenait toujours à la main.

— C'est si mauvais que ça ?

— Non, pas du tout ! Ce n'est pas le pain.

« C'est seulement vous ! » eut elle envie d'ajouter, avant de se précipiter dans sa chambre.

Mais le dîner fut prêt quelques minutes plus tard. Plus d'échappatoire...

Elle ferma la porte, s'allongea sur son lit et se mit à fixer le plafond. Une vague de culpabilité déferla dans son cœur. Elle avait pris soin de se protéger elle-même, mais, ce faisant, elle avait manqué à son devoir envers Jamie. Car l'enfant tombait de plus en plus sous le charme de Riley Keenan, elle le voyait bien. Par la porte fermée, elle distinguait leurs voix et leurs rires tandis que le cow-boy et le petit garçon, après avoir lavé la vaisselle, entamaient une partie de dames.

Accablée, Beth poussa un profond soupir. Elle réglerait ce problème demain. Pour le moment, il fallait qu'elle reprenne ses esprits. Ce qu'elle n'était pas en mesure d'accomplir si Riley Keenan s'avisait de déposer entre ses lèvres un autre morceau de pain chaud !

Quelques instants plus tard, Jamie la rejoignit dans la chambre et jeta les bras autour de son cou en la couvrant de gros baisers humides.

— Il y a un lit dans le canapé du séjour, lui annonça-t-il. C'est là que Riley va dormir. Je lui ai demandé de me raconter une histoire, mais il n'en connaît pas.

Sur ces mots, le petit garçon grimpa dans le lit et se pelotonna contre sa tante. En lui racontant une histoire pour l'endormir, Beth eut l'illusion que rien dans son univers n'avait changé. Aucun danger ne la guettait.

Mais, lorsqu'elle s'éveilla en sursaut au milieu de la nuit, elle sut qu'elle n'échapperait pas à son destin.

Le chalet était plongé dans une profonde obscurité et un silence total. Pourtant, le hurlement de terreur qui l'avait tirée de son sommeil résonnait encore à ses oreilles. Un frisson glacé lui parcourut l'échine tandis qu'elle sortait de sa chambre. Agissait-elle de manière inconsidérée en se précipitant vers Riley pour l'apaiser ? Ou bien était-ce elle-même, qu'elle cherchait à réconforter ? Et si elle ne faisait qu'accomplir ce que toute personne ayant côtoyé la souffrance devait faire sans réfléchir : venir en aide à un être humain en détresse ?

Assis sur son lit, Riley prit une profonde inspiration, puis tendit l'oreille. Il était presque certain d'avoir poussé un cri dans son sommeil tant l'horreur de son cauchemar hantait encore son esprit. Pourtant, il ne semblait pas qu'il eût réveillé quelqu'un. Cela faisait si longtemps qu'il n'avait pas fait ce rêve, qu'il en était venu à espérer que celui-ci ne le torturerait plus.

Lorsque ses yeux se furent habitués à l'obscurité, il distingua la silhouette du sapin de Noël devant la fenêtre. Le sapin, bien sûr ! C'était au moment où il avait sottement accepté de le décorer qu'il avait compris que c'en était terminé de sa tranquillité. Il avait alors senti un voile sombre l'envelopper et lui étreindre le cœur. Mais il avait eu beau tenter de s'épuiser dans l'effort physique afin d'oublier son angoisse, tout ce qu'il avait réussi à gagner, c'étaient de nouvelles ampoules sur ses mains déjà calleuses. Car, dès l'instant où il était revenu à la cabane pour remplir son rôle de protecteur, il avait pris conscience que ce dont ses hôtes avaient besoin d'être défendus n'était autre que… lui-même. Lui, et l'ombre sinistre qu'il jetterait sur leur fête de Noël s'il n'y prenait pas garde. S'il ne se défendait pas d'éprouver de l'affection pour l'enfant. Et pour *elle*.

Bethany Cavell ne représentait guère un remède approprié pour un homme en plein désarroi. Comment avait-il eu l'outrecuidance de se poser en sauveur ? Certes, il saurait la protéger d'un porc-épic, il était imbattable pour allumer un feu de bois, et il avait su lui apprendre à ne pas faire exploser la maison. Mais c'était un danger d'un tout autre ordre qu'il avait entrevu alors que, côte à côte, ils préparaient ensemble leur dîner.

Beth était séduisante, force était de l'admettre. Il aimait le parfum qui émanait d'elle, la manière dont elle penchait la tête de côté, et jusqu'à la gaucherie dont elle faisait preuve en sa présence, tantôt timide, tantôt prête à monter sur ses grands chevaux. Il adorait la douceur de sa voix légèrement voilée, la tendresse dans ses yeux lorsqu'elle regardait Jamie, et même la manière inimitable dont elle s'habillait, prenant grand soin de ne pas révéler les courbes délicieuses de son corps.

Non, assurément, ce n'étaient pas des pensées convenables pour un homme dont le seul devoir était de protéger ses locataires. Et pourtant, il s'y était abandonné, il ne pouvait le nier. Juste un peu. Lorsqu'il lui avait offert un morceau de bannock et qu'elle avait mordu dedans, les yeux rivés dans les siens, juste avant que la panique ne s'emparât d'elle. Il aurait pu jurer que ce n'était pas un malaise qui l'avait saisie. Elle avait compris. Tout comme lui.

Tous deux savaient qu'on ne plaçait pas impunément un homme et une femme dans un espace aussi exigu sans qu'une étincelle ne risquât de se produire entre eux. Pourquoi, grands dieux, n'avait-il pas prévu cela lorsque, après son accident sur la route, il avait choisi de revenir à la cabane plutôt que de dégager son véhicule ? Pourquoi avait-il voulu jouer les preux une fois de plus ? Comme s'il ne se souvenait pas combien il avait lamentablement échoué dans ce rôle la première fois !

Absorbé dans ses sombres pensées, Riley perçut du coin de l'œil un léger mouvement dans la pièce. Il se releva d'un seul coup sur son lit.

Beth se tenait debout, à quelques pas, dans la faible clarté de la lune qui semblait faire luire les sucres d'orge imprimés sur son pyjama.

— Riley ? murmura-t-elle. Vous n'avez rien ?

— Non, grogna-t-il. Tout va bien. Retournez vous coucher.

— Vous avez fait un cauchemar ? s'enquit-elle en s'approchant avec précaution.

Riley ferma les paupières puis, sentant le bord de son lit ployer doucement sous le poids de la jeune femme, les rouvrit avec une moue d'irritation. Bonté divine, il n'était plus un enfant ! Il ne voulait pas qu'elle le traite comme un petit garçon. Et par-dessus tout, il refusait sa pitié.

— Oui, j'ai eu un mauvais rêve, grommela-t-il. Je suis désolé de vous avoir réveillée. Allons, retournez dans votre chambre. Merci de vous être dérangée.

— Je n'arrive pas à me rendormir. Je me suis dit qu'une tasse de lait chaud me ferait du bien. Vous en voulez une ?

Du lait chaud ! Les femmes qu'il avait connues auraient plutôt suggéré un petit remontant. Décidément, cette femme n'appartenait pas au monde qu'il avait connu jadis !

— Avec plaisir, s'entendit-il répondre.

Il se mordit la lèvre. Que lui avait-il pris d'accepter son offre ? Tenait-il à la voir s'écarter de son lit, oui ou non ?

Mais, en la voyant s'éloigner, ce fut un étrange sentiment d'abandon qu'il éprouva, au lieu du soulagement espéré. Après l'agitation qui s'était emparée de lui à la suite de son cauchemar, Beth représentait un havre de paix et de sécurité.

Elle était tout à fait ravissante, à vrai dire ! Même si son pyjama trop grand dissimulait ses formes délicates et si ses cheveux ébouriffés formaient des épis sur sa tête.

Alicia sortait toujours du lit, le visage barbouillé de maquillage, il s'en souvenait. Celui de Bethany, en revanche, avait la fraîcheur du naturel.

La jeune femme se mit à fredonner. Elle versa du lait chaud dans deux tasses, éteignit la lumière et regagna le canapé-lit dans la pénombre.

— C'est plus difficile de se rendormir si on laisse une lumière allumée, chuchota-t-elle.

Riley s'empara de la tasse brûlante qu'elle lui tendait et attendit qu'elle rejoignît sa chambre. Mais elle s'assit de nouveau sur le bord du lit et, sans réfléchir, il se poussa de côté pour lui faire de la place. Quelle stupide réaction de sa part ! N'allait-elle pas considérer son geste comme une invitation ? Il s'enveloppa frileusement dans sa couverture.

Beth se mit à boire son lait à petites gorgées, les yeux fixés sur l'épicéa.

— Quand ma sœur est morte, j'ai commencé à souffrir d'insomnie, dit-elle. Je faisais souvent des cauchemars.

— Comment est-elle morte ?

— Dans un accident de voiture. Elle conduisait toujours trop vite. Elle adorait l'excitation de la vitesse. Elle est morte sur le coup. Nous devons en remercier le ciel.

Riley esquissa un rictus amer. Pourquoi, dans les circonstances les plus tragiques, les gens cherchaient-ils sans cesse des raisons d'être reconnaissants ? Des explications à ce qui leur arrivait ? Et s'il n'y avait aucun motif de gratitude, aucune signification au malheur ?

Beth reprit à voix basse :

— De quoi avez-vous rêvé ? Peut-être cela vous aiderait-il, d'en parler. Moi, cela m'a fait beaucoup de bien d'en discuter avec un ami.

— Un petit ami ? demanda-t-il, en partie pour détourner la conversation.

— Non, pas un petit ami ! Même quand j'en avais un, il ne me serait jamais venu à l'idée de parler de mes cauchemars avec lui.

Riley resta silencieux, ne sachant trop s'il devait se réjouir ou s'inquiéter de cette révélation.

Revenant au sujet initial, Beth répéta :

— Voulez-vous me raconter votre rêve ?

— Je ne préfère pas.

Il sentit une tension croissante s'emparer de lui. Ce dont il avait souhaité se préserver, c'était la gentillesse de la jeune femme. Il comprenait pourquoi maintenant. Elle le rendait vulnérable, elle l'incitait à désirer l'impensable : poser la tête sur son épaule, se blottir dans ses bras et relâcher enfin l'angoisse qui l'étouffait.

Beth resta muette un long moment avant de reprendre la parole.

— Vous avez rêvé de l'incendie ? Celui dont vous nous avez parlé dans la camionnette ?

Le visage de Riley se durcit. Une détresse insupportable lui serra le cœur comme dans un étau. Ne l'avait-il pas prévenue qu'il ne voulait pas en parler ? Elle voulait se mêler de sa vie privée ? A son aise ! Il refuserait de répondre. Son cauchemar ne regardait que lui.

— Oui, c'est cela, soupira-t-il à contrecœur.

Le silence retomba, pesant.

C'est alors que Riley sentit la main tiède de la jeune femme l'effleurer avec douceur, caresser la cicatrice le long de sa mâchoire. Il s'arrêta de respirer, chaque muscle de son corps se raidit. Elle suspendit son geste jusqu'à ce qu'il retrouve un souffle régulier, puis laissa ses doigts glisser sur sa nuque, descendre sur ses épaules et frôler sa poitrine. Quelque chose dans la caresse de Beth sur sa peau meurtrie éveillait en lui une sensation inconnue jusqu'alors. Ce n'était pas de la répulsion, ni de la curiosité qu'elle éprouvait, il en était sûr. C'était une tendresse délicieuse, infinie, une tendresse qu'il devina capable de pénétrer au cœur de sa blessure, cachée au plus profond de son âme. Il eut le sentiment que Beth avait le pouvoir de le guérir. S'il la laissait faire…

7.

Un léger bruit tira Riley de son sommeil. Sans bouger un cil, il dressa l'oreille. Dans son esprit engourdi, ne subsistait aucun souvenir de s'être endormi, ni d'avoir vu Beth le quitter. Pourtant, il ne sentait plus le poids de la jeune femme sur le matelas à son côté, ni son parfum flotter autour de lui. La seule chose qui demeurait de façon obsédante dans sa mémoire, c'était le toucher délicat de ses doigts sur sa peau.

De nouveau, il entendit un bruissement derrière lui, puis un faible gloussement. Avec précaution, il tourna la tête. Et se trouva nez à nez avec un ours en peluche qui le fixait de son œil de verre.

— Bonjour, Buddy Bear ! grommela-t-il.

Il jeta un regard vers la fenêtre. Une lumière grise filtrait à travers les branches du sapin. Le jour était à peine levé, et la neige continuait à tomber.

L'ours secoua la tête et déclara joyeusement :

— Il n'y a plus que deux jours avant Noël !

S'efforçant de dissimuler son manque d'enthousiasme à l'annonce de cette nouvelle, Riley referma les paupières et, touchant la cicatrice sur son cou, s'étonna presque qu'elle n'eût pas disparu. L'ours s'approcha et frotta son nez contre son visage, avec un bruit mouillé de baiser.

L'attrapant par une patte, Riley saisit dans le même geste un bras fluet dont le possesseur, accroupi près du lit, se trémoussait en pouffant de rire.

— Les ours dorment, en hiver ! Tu savais cela, Jamie ?

— Oui ! Mais ils se réveillent à Noël !

Noël ! Bien sûr, comment l'oublier ? C'était l'époque de tous les émerveillements pour les enfants et les ours en peluche, le temps où l'on compte les jours avec une impatience fébrile, où la magie rend les prodiges possibles.

Riley se pencha vers Jamie. Le sourire radieux de l'enfant semblait indiquer que réveiller un cow-boy grincheux au petit matin faisait partie d'un rêve devenu réalité. Troublé par la persévérance de Jamie, qui semblait vouloir obstinément lui indiquer des occasions de se réjouir, il sentit une boule d'émotion lui monter brusquement à la gorge. Pourquoi diable ce petit garçon au visage rayonnant d'innocence persistait-il à espérer quelque chose de la vie alors que celle-ci l'avait déjà si cruellement frappé ? Sans doute Riley avait-il quelques leçons à prendre de Jamie Cavell qui, bien que blessé dès son âge le plus tendre, continuait à croire en la bienveillance de la vie, et lui affirmait sa foi en retour.

Riley, lui, n'était sûr que d'une chose : la vie l'avait meurtri. Et il n'en attendait plus rien.

Six ans plus tôt, la veille de Noël, il avait appris à ses dépens qu'il existait des circonstances que, malgré toute sa volonté et son acharnement, il ne maîtrisait pas. Par malheur, c'était dans une question de vie ou de mort que son impuissance s'était révélée.

Et comment avait-il réagi à cette défaite ? En resserrant les limites de son univers jusqu'à être certain d'en conserver le contrôle.

Cependant, il était clair à présent que le rétrécissement de son monde ne lui avait procuré qu'une illusion de sécurité. C'était si dérisoire qu'il avait suffi pour l'ébranler d'un appel téléphonique longue distance, d'une femme et d'un enfant à la recherche d'un chalet à louer et de quelques flocons de neige.

Avec humilité, il lui fallait accepter la plus mortifiante des leçons : les hommes n'étaient pas aux commandes de l'univers. Ni même de leur propre cœur, autant qu'il pût en juger. Car, avec le même acharnement qu'il avait mis à limiter l'étendue de ses activités et de ses espoirs, il avait tenté d'endurcir son cœur. Et n'avait pas mieux réussi, c'était un fait.

Jamie, en revanche, avait la ferme conviction que le monde entier réservait d'agréables surprises ; il fonçait, tête baissée, à la recherche de ce qui lui manquait. Pourtant, il avait traversé une terrible épreuve. Mais, contrairement à Riley, il n'était pas aigri, mais plein d'espoir.

Fallait-il la pureté d'un cœur d'enfant pour comprendre qu'une seule chose au monde pouvait guérir les blessures ? Pas la science, ni la médecine… mais l'amour. Comment un petit garçon pouvait-il savoir qu'il était indispensable d'affronter de nouveau le sentiment qui vous avait jadis dévasté le cœur ?

Jamie grimpa dans le lit.

— Qu'est-ce que nous allons faire, aujourd'hui ? demanda-t-il.

Riley haussa les sourcils. *Nous* ? Hier encore, avant que des doigts délicats ne lui aient caressé la nuque, il se serait désolidarisé de ce *nous* en toute hâte. Beth ne l'avait-elle pas mis en garde contre tout lien d'affection ?

Pourtant, si Jamie cherchait un héros auquel s'attacher, pourquoi le lui refuser ? Il pourrait lui téléphoner de temps à autre, peut-être même lui envoyer un cadeau pour son anniversaire. Tenir la place d'un grand frère, en somme, tout en gardant ses distances. Et, si, d'aventure, la tante du petit répondait au téléphone, il échangerait quelques mots avec elle. A la réflexion, il serait assez gratifiant d'assumer un rôle de brave. De loin, bien sûr ! Un défaut dans l'armure du chevalier ne se verrait pas à plusieurs milliers de kilomètres.

— Qu'est-ce que *toi*, tu aimerais faire ? demanda-t-il.

— Pour commencer, si tu m'aidais, je pourrais préparer le petit déjeuner pour tante Beth. Personne ne s'occupe jamais d'elle.

Riley se sentit de nouveau la gorge nouée par l'émotion. Que lui arrivait-il ? Etait-ce parce que personne ne se souciait de Beth ? Ou parce qu'un petit garçon de cinq ans faisait passer le plaisir de quelqu'un d'autre avant la satisfaction des siens ?

— Allons lui préparer un bol de céréales, proposa-t-il, moqueur.

Jamie secoua la tête en signe de dénégation.

— Non, il lui faut ce bon pain que tu nous as fait cuire hier soir, et des œufs et du bacon.

— Elle n'a pas peur de grossir ?

— Ma tante Beth ? Jamais de la vie ! Elle a peur de tout, sauf de ça.

Une femme qui ne craignait pas de prendre du poids ! Combien il était réconfortant de savoir qu'il en existait ! Surtout après avoir connu Alicia qui comptait chaque calorie absorbée et se lamentait sur chaque carré de chocolat passant ses lèvres.

— Elle s'inquiète à propos de tout ? répéta-t-il, en se reprochant tout de même d'arracher des confidences à un enfant.

Toutefois, c'était pour la bonne cause, observa-t-il pour se justifier. Il voulait s'assurer que les causes d'inquiétude de Beth étaient mineures. Un robinet qui fuyait, par exemple, ou un chien qui aboyait la nuit.

— Elle s'affole surtout quand le courrier arrive, expliqua Jamie avec gravité.

Le courrier, c'est-à-dire, les factures, songea Riley, le visage sombre.

— Et quand je vais jouer dehors, ajouta Jamie.

Dans quel genre de quartier vivaient-ils donc ? se demanda Riley, de plus en plus préoccupé. Mais bon sang, pourquoi avait-il eu besoin de poser la question ?

— Elle a peur aussi que je me fasse mal en tombant sur les marches qui sont cassées, continua l'enfant.

Puis il enchaîna d'une voix triomphante :

— Mais je vais pouvoir les réparer maintenant que tu m'as montré comment planter des clous.

Toutefois, sa joie fut de courte durée.

— Quand elle me croit endormi, parfois elle se met à pleurer, poursuivit-il.

Consterné, Riley demeurait muet. Ce n'étaient certes pas là le genre d'ennuis qu'il souhaitait pour Beth.

— Mais ne t'inquiète pas, reprit Jamie. Le Père Noël et moi, nous allons nous occuper de tout.

Il posa un doigt sur ses lèvres :

— Chut ! c'est un secret, d'accord ?

Riley n'eut pas le cœur d'anéantir les illusions de l'enfant quant à l'efficacité du Père Noël pour résoudre les problèmes de Bethany Cavell.

— Tu veux bien me laisser seul une minute, le temps que je m'habille ? demanda-t-il.

Et le temps de chasser de mon esprit les terribles images que tes révélations ont évoquées, continua-t-il *in petto*.

Il s'habilla rapidement, et regarda par la fenêtre. Le paysage alentour, plongé dans un silence irréel, disparaissait sous une épaisse couverture immaculée. La neige continuait de tomber en nuées de flocons si denses qu'elle masquait les montagnes au loin. Il était exclu de songer à reprendre la route.

Riley rejoignit Jamie dans la cuisine.

— Tu as vu ? Il neige toujours ! s'exclama ce dernier joyeusement.

Tout était affaire de perception. Pour le petit garçon, la neige ne signifiait pas des routes dangereuses mais d'excitantes aventures en perspective. Riley ne devrait-il pas l'imiter ? Quelle catastrophe pouvait bien lui arriver si, en l'espace d'une seule journée, il oubliait l'idée que le monde entier n'attendait qu'une occasion de le blesser ? Saurait-il, au risque de se rendre vulnérable en retirant son armure, accepter sans rechigner ce que la vie lui offrait ? N'était-il pas capable de relâcher, ne fût-ce que quelques heures, la maîtrise qu'il s'efforçait de maintenir sur les événements, et de faire confiance à la vie ?

Il scruta le petit visage animé de Jamie Cavell et décida de donner à ce dernier et à Beth un souvenir du Canada qu'ils n'oublieraient jamais. Certes, il n'était pas dans ses possibilités d'effacer les soucis de Beth, mais du moins pouvait-il les lui faire oublier pendant quelque temps. Il lui suffisait de se mettre à la place de ses deux invités. A quel genre de loisirs leur plairait-il d'occuper leur journée ? A des activités qu'ils n'avaient jamais essayées auparavant, sans doute. Sa décision était prise ! Aujourd'hui, il leur ferait découvrir son univers sous ses meilleurs aspects.

Riley ébaucha un sourire. Avec entrain, il entreprit, pour commencer, d'apprendre au petit garçon, juché sur une chaise à ses côtés, la recette secrète du bannock. Ils en firent cuire ensemble une pleine assiettée, puis décidèrent de préparer des œufs au bacon. Lorsque Jamie insista pour casser lui-même les œufs, Riley ne s'y opposa pas. C'était une question de perception, se rappela-t-il, pas de perfection.

Une voix se fit entendre derrière eux :

— Qu'est-ce que vous mijotez, tous les deux ? demanda Beth, debout sur le seuil de sa chambre.

Riley se tourna vers elle et remarqua combien, dès le matin, son visage paraissait frais, malgré les marques imprimées sur ses joues par les plis du drap et le désordre de ses cheveux. Il imagina la douceur des doigts de la jeune femme sur sa peau, et dut réprimer une violente envie de s'enfuir, de retourner couper du bois pour s'oublier dans la monotonie épuisante du travail physique. Cela faisait à peine un quart d'heure qu'il avait pris une résolution, et déjà il s'apprêtait à renoncer ! Soit ! Il se ressaisirait sans tarder. Il avait décidé d'accorder une chance à la vie de lui révéler ce qu'il n'attendait plus, il ne devait pas l'oublier.

Aussi, au lieu de se détourner, regarda-t-il Beth en face, tout son visage rayonnant du plaisir de la voir. Lorsqu'elle lui sourit d'un air radieux, il sentit son cœur battre plus fort dans sa poitrine, et l'habituelle tension qui lui nouait les épaules s'évanouir d'un seul coup.

Le petit déjeuner terminé, Jamie reposa la question qui lui occupait l'esprit :

— Qu'allons-nous faire, aujourd'hui ?

— As-tu déjà fabriqué un bonhomme de neige ? s'enquit Riley.

— Jamais, répondit l'enfant en secouant la tête. Mais j'en ai déjà vu au cinéma. J'aimerais en faire un gigantesque, le plus grand du monde !

Riley s'esclaffa.

— Alors, ne perdons pas de temps. Beth, vous venez ?

Cette dernière hésita, le regard fixé sur le sol, tortillant des deux mains l'un des boutons de son pyjama.

— Non, finit-elle par dire. Je vais ranger un peu.

— S'il te plaît, tante Beth, supplia Jamie, nous ne verrons peut-être plus jamais de neige.

— Il a raison, intervint Riley. Il se peut que cette occasion ne se représente pas.

Il s'avisa alors que ce n'était pas uniquement de neige qu'il parlait, et que la jeune femme en avait parfaitement conscience.

Cette dernière leva la tête et le dévisagea, une lueur de crainte dans son regard vert.

— D'accord, acquiesça-t-elle, je vous suis.

— Hourra ! s'exclama Jamie. Buddy Bear, nous allons passer le plus merveilleux Noël de notre vie !

A ces mots, Riley eut la certitude qu'il avait choisi la bonne voie.

Après le petit déjeuner, qui apporta à Jamie les félicitations de sa tante, ils s'habillèrent et sortirent. Quelques instants plus tard, au milieu des joyeux éclats de rire de Jamie et de Beth, Riley leur enseignait l'art de fabriquer un bonhomme de neige. Et ce ne fut pas sans une certaine pointe de fierté masculine qu'il perçut le regard admiratif de la jeune femme alors que, d'un mouvement puissant, il manipulait l'énorme boule de neige qu'ils avaient formée.

— J'ai besoin de votre aide, appela-t-il. Ceci est un travail d'équipe.

Ensemble, ils donnèrent un dernier coup d'épaule. C'est alors que Beth perdit l'équilibre et entraîna dans sa chute Riley, qui tomba sur elle de tout son poids. Il se souleva immédiatement sur ses coudes mais eut le temps de sentir sous son corps la poitrine de la jeune femme haletante. L'espace d'un moment, il planta son regard dans celui de Beth. Ce qu'il y lut lui procura un bonheur comme il n'en osait plus espérer depuis des années. Dans les yeux rieurs de Beth ne subsistait plus aucune trace des inquiétudes qui, selon Jamie, empoisonnaient son existence. Quel plus beau cadeau Riley aurait-il pu lui offrir pour Noël que cette insouciance d'un moment ?

Après avoir arraché son gant avec ses dents, il tendit la main et effleura la joue de la jeune femme. Jamais, il n'avait touché quelque chose de plus doux.

Beth retint son souffle et demeura immobile.

— Embrasse-la, cria Jamie en battant des mains.

Riley se pencha, mais, reprenant ses esprits à la dernière seconde, réussit à se dérober aux lèvres qui s'offraient et posa un baiser sur la joue tendre de Beth. Puis il se redressa d'un bond et l'aida à se relever. Et, alors qu'elle secouait vigoureusement la neige collée à ses vêtements, il discerna dans ses yeux une lueur de déconvenue. Elle était déçue qu'il ne l'eût pas embrassée sur la bouche, observa-t-il en son for intérieur. En même temps, elle l'avait redouté, il l'aurait juré.

— Eh bien, vous aussi ! murmura-t-il.

— Pardon ? demanda Beth.

— Vous me terrifiez.

— Que voulez-vous dire ? Pourquoi auriez-vous peur de moi ? Je ne suis pas le genre de femmes que les hommes craignent.

— Parce que les hommes sont en général de parfaits imbéciles. Ce sont des femmes comme vous qu'ils devraient le plus se méfier.

— Comme moi ? répéta-t-elle, les joues empourprées.

— Les femmes fortes, authentiques... et ravissantes.

Le visage à présent écarlate, Beth avala sa salive et réussit à articuler :

— Je ne suis pas forte, et encore moins ravissante. J'ai toujours été très ordinaire.

Riley sentit monter en lui une pointe de colère à l'égard de cet ex-petit ami qui n'avait pas su faire prendre conscience à la jeune femme de sa beauté réelle. Puis il se ravisa. Après tout, c'était un peu l'aveuglement de cet inconnu qui avait incité Beth à venir passer les fêtes si loin de chez elle. Et la présence de la jeune femme en ce lieu constituait, il s'en rendait compte, le plus beau cadeau que l'univers lui eût jamais fait.

Troublé par les pensées qui l'assaillaient, Riley se contenta, pour toute réponse, de ramasser une poignée de neige et de la lancer à Beth d'un air victorieux.

Elle éclata de rire, soulagée de sentir disparaître la tension qu'avait fait naître le tour grave de cette conversation, et bientôt, aidée de Jamie, elle engagea la première bataille de boules de neige de sa vie.

Se défendant farouchement contre ses deux attaquants néophytes, Riley céda sous leur assaut et s'écroula par terre, à bout de souffle, riant si fort que son ventre et ses mâchoires se contractaient douloureusement. Depuis quand n'avait-il pas ri ainsi, sans contrainte ? Il ne s'en souvenait pas.

Soudain, alors qu'elle courait après lui, Beth tomba sur lui. A son contact, Riley sentit une nouvelle vague d'émotion l'envahir et son pouls s'accélérer. L'espace d'un instant, le temps sembla suspendu. Ce n'était plus d'un jeu d'enfants qu'il s'agissait, désormais. Comment Riley pouvait-il encore faire semblant d'ignorer ce que tout son être lui criait ?

Jamie rompit le silence qui s'était soudain abattu sur le petit groupe.

— Il faut finir le bonhomme de neige, décréta-t-il. Ensuite, nous ferons une bonne femme de neige et un petit garçon.

Riley poussa un soupir de soulagement. Sauvés ! Pour le moment du moins ! Car une pensée lui traversa soudain l'esprit. Il se rendit compte avec consternation qu'il était trempé jusqu'aux os, et qu'il n'avait aucun vêtement de rechange !

*
* *

Lorsque le bonhomme de neige fut terminé et qu'ils l'eurent admiré pendant un long moment, ils regagnèrent le chalet. Beth envoya Jamie se changer et commença à préparer le déjeuner. Bien qu'elle s'efforçât d'esquiver le regard de Riley, elle ne pouvait ignorer sa présence. Surtout depuis qu'elle avait senti son corps sur le sien et la douceur de ses lèvres sur sa joue. Et surtout depuis qu'il lui avait dit qu'elle était belle !

A ce souvenir, un frisson de plaisir la parcourut. Puis elle s'avisa que c'était aussi de froid, qu'elle tremblait !

Riley, occupé à faire cuire du pain, suggéra d'une voix détachée :

— Vous devriez enfiler des vêtements secs.

— Et vous-même, répondit-elle, n'avez-vous pas d'autres habits dans le chalet ?

— Non, j'en ai peur !

— Retirez au moins votre T-shirt, dit-elle en s'échappant vers sa chambre.

Il n'hésita qu'une seconde avant de le faire glisser par-dessus sa tête et de le mettre à sécher près du feu.

A son retour dans la cuisine, Beth demeura un instant bouche bée. Le corps qui s'offrait à sa vue était d'une beauté à couper le souffle. Même la cicatrice qui courait en travers de sa poitrine ne pouvait gâter la perfection d'une silhouette à la fois puissante et élancée.

Elle cligna des yeux. Il lui faudrait se tenir, épaule contre épaule dans un espace minuscule, avec un homme superbe, nu jusqu'à la ceinture, et affecter la plus totale indifférence, de surcroît !

Beth ressentit des frémissements au bout des doigts. Elle éprouva une irrésistible envie de toucher ce corps magnifique, de terminer l'exploration qu'elle avait commencée la nuit précédente. Que n'aurait-elle donné pour effleurer les muscles saillants des pectoraux, pour tester la fermeté des abdominaux ! Elle s'aperçut alors que la barbe de deux jours qui mangeait les joues de Riley le rendait encore plus sexy, et elle brûla de caresser ce visage aussi.

Par bonheur, Jamie les rejoignit avant que Beth, tremblante de désir, ne cédât à la tentation de poser ses mains sur le cow-boy.

— Pourquoi tu trembles, interrogea l'enfant. Tu as froid ?

Rouge de confusion, elle demeura interdite une seconde, puis se rendit compte que Jamie s'adressait à Riley.

— Non, ça va très bien, répondit ce dernier.

— Je vois bien que tu as froid. Tu as la chair de poule. C'est parce que ton jean est trempé.

— Il va sécher, ne t'inquiète pas.

— Et si tu attrapes l'hyperpopotame ? demanda Jamie, la mine sévère.

— Hypothermie, corrigea Riley. Je ne crois pas qu'il y ait un danger quelconque d'hypothermie dans une maison bien chauffée.

— Les jeans mettent des heures à sécher, intervint Beth. Vous auriez dû nous prévenir que vous n'aviez rien d'autre à vous mettre. Nous ne vous aurions pas fait tomber dans la neige.

— Et j'aurais raté la meilleure bataille de boules de neige de ma vie ? Pas question ! s'exclama-t-il. N'ayez aucune crainte. Je ne risque vraiment rien.

Et il ajouta, le regard grave :

— Je veux qu'aujourd'hui vous ne vous fassiez pas le moindre souci.

Confuse, Beth hésita. Elle ne pouvait décemment le laisser trembler de froid sans rien faire.

— Vous n'avez qu'à vous envelopper dans une couverture, suggéra-t-elle. Je vais vous donner des épingles de nourrice pour l'attacher.

— Vous n'y pensez pas ! s'écria-t-il, outré. Je refuse de me déguiser en Romain !

— Soyez raisonnable ! Juste le temps que votre jean sèche.

A contrecœur, Riley capitula et se retira dans la chambre de Jamie dont il émergea quelques minutes plus tard, drapé dans une couverture fixée à ses épaules par des épingles de sûreté.

— Je ne veux rien entendre ! prévint-il, très digne.

Jamie le fixa une seconde puis, couvrant sa bouche de sa main, se mit à pouffer de rire.

— On ne rit pas ! répéta Riley.

Et le menton fièrement relevé, serrant la couverture contre son corps, il passa avec toute la majesté possible en la circonstance devant Beth et Jamie qui se mordaient la langue pour garder leur sérieux. Après s'être assis sur le canapé, il s'empara du plaid posé sur le dossier et s'en couvrit les jambes.

En voyant ses traits figés afficher un air d'orgueil offensé, Beth et Jamie n'y tinrent plus et éclatèrent d'un rire joyeux, que Riley ne tarda pas à partager.

Quelques heures plus tard, tout en buvant du chocolat chaud, ils jouaient aux dames puis, après une discussion animée sur les plans du château qu'ils projetaient de bâtir devant le chalet, ils ressortirent pour profiter de la neige.

Beth s'amusait comme une enfant. La neige, le chalet… Toute cette journée revêtait un air de magie qui la ravissait. Mais le plus merveilleux était encore d'observer les changements opérés en Riley. Tout cynisme semblait l'avoir quitté. Il ressemblait maintenant à un petit garçon, absorbé avec le plus grand sérieux dans ses jeux. Tant dans la construction d'un bonhomme de neige que dans une partie de petits chevaux, il faisait montre d'une patience et d'une confiance tranquille que seule procure l'assurance de la force.

Le reste de l'après-midi passa comme un rêve, et à peine furent-ils rentrés que Jamie s'endormit sur le canapé.

C'est alors que, dans cette cabane isolée en pleine nature, enveloppée dans la chaleur agréable d'un feu de bois, Beth se retrouva seule. En compagnie d'un homme irrésistible, vêtu d'une toge d'empereur romain !

— Je vais coucher Jamie, annonça-t-elle, soudain embarrassée.

Mais, avant qu'elle ait eu le temps de se lever, Riley se pencha et prit l'enfant dans ses bras. La gorge nouée, les yeux rivés sur les larges épaules à moitié dénudées du cow-boy, Beth le suivit dans la chambre de Jamie. Dans sa poitrine, son cœur battait la chamade.

Ils mirent le petit garçon au lit et se tinrent un moment côte à côté pour observer son sommeil paisible. Coulant un regard en coin vers Riley, Beth surprit une expression d'infinie tendresse sur le visage de ce dernier. C'était là que résidait le danger, elle le pressentait. Pas dans la force de ses muscles, ni dans la beauté de son corps. Le véritable péril venait de cette partie de lui qu'il gardait enfouie au plus profond de son être.

Lorsqu'ils regagnèrent le séjour, Beth eut clairement la sensation que le rapport entre eux avait changé. Ils n'étaient plus deux enfants jouant avec innocence à se jeter des boules de neige. Régnait à présent un émoi semblable à celui d'un premier rendez-vous. Certes, la toge y était pour beaucoup ! N'importe quel autre homme aurait eu l'air ridicule ainsi vêtu. Mais pas Riley ! Il donnait l'impression de pouvoir avec autant d'aisance entrer dans la peau d'un guerrier, d'un chasseur, ou d'un roi.

— Eh bien, dit-elle après un instant, je crois que je devrais aller me coucher.

— Vous n'avez pas réussi à dormir la nuit dernière.

— Je ne me sentais pas bien.

— Vous aviez peur, avouez-le.

— Peur de quoi ?

— De moi.

Beth voulut nier mais ne trouva pas les mots.

— Si je vous disais que, moi aussi, je suis terrorisé, Beth, reprit-il.

— Vous y avez déjà fait allusion. Mais franchement, vous ne ressemblez pas à un homme qui se laisse intimider facilement.

Riley esquissa un sourire dans lequel Beth discerna une pointe de tristesse.

— C'était vrai, il y a longtemps que je ne me laisse plus intimider, comme vous dites. Mais j'ai changé.

— Que craignez-vous ?

— La lueur dans vos yeux.

Interdite, Beth avala sa salive.

— Et la vie, ajouta-t-il.

— A cause de l'incendie ?

Il hocha la tête.

— Voulez-vous toujours que je vous en parle ?

Beth le regarda en face. Peut-être aurait-elle été capable de lutter contre l'attirance physique qu'exerçaient sur elle la perfection et la puissance de ce corps masculin, peut-être aurait-elle su se défendre de la fascination qui la paralysait en présence de cet homme si diablement sexy et à demi nu... Mais c'était autre chose qu'il lui offrait, à présent. Il lui découvrait son cœur, son âme, la partie la plus vulnérable de son être. Et cela, elle serait incapable d'y résister, elle le savait. Pas plus qu'elle n'était en mesure de refuser de l'écouter.

Avec un soupir, elle fit un signe d'assentiment.

8.

— Donnez-moi une minute, suggéra Riley. Je vais ouvrir le canapé et me débarrasser de mon habit de Romain.

Beth sentit le rouge lui monter au front. N'allait-elle pas se jeter dans la gueule du loup en acceptant son invitation à le rejoindre sur le lit ? Mais, grands dieux, elle ne pouvait plus reculer, alors que, la veille encore, elle avait insisté pour qu'il lui racontât l'incendie.

Elle se retira dans sa chambre et en profita pour réfléchir à la situation. Tout au long de la journée, elle avait ressenti un changement chez Riley Keenan. Petit à petit, celui-ci avait baissé la garde et, à mesure qu'il se détendait, son rire franc avait résonné sans retenue. L'homme bougon qui l'avait accueillie à l'aéroport avait cédé la place à un être délicieux, plein de fantaisie, de bonne humeur et d'espièglerie. Quelle femme aurait pu se défendre de tomber sous le charme ? Et, ce qui n'arrangeait pas les choses, il fallait avouer que, débarrassé de sa mine renfrognée, le visage du cow-boy était exceptionnellement beau. Lorsqu'il se tournait vers elle pour lui sourire, Beth en avait le souffle coupé. Il était tout simplement irrésistible, c'était aussi simple que cela ! Quant à Jamie, il s'épanouissait littéralement sous la bienveillance virile de Riley. Le regard de gratitude émerveillée dont il couvait ce dernier n'avait pas échappé à l'attention de Beth.

L'appel de Riley tira la jeune femme de sa rêverie. Elle regagna le séjour et trouva le cow-boy confortablement installé dans le lit, ses couvertures rassemblées jusqu'à mi-hauteur du buste, le dos appuyé contre le dossier du canapé.

— Je ne comprends vraiment pas comment les Romains pouvaient vivre dans des vêtements pareils, lança-t-il avec jovialité.

Toutefois, le ton léger de sa voix ne réussit pas à distraire Beth de sa méditation. Maintenant qu'ils étaient seuls, l'inclination qu'elle éprouvait pour cet homme menaçait de devenir incontrôlable. Une sorte de courant électrique passait entre Riley et elle, une indéniable attirance physique.

« Il est probablement nu sous ses couvertures », songea-t-elle, la bouche sèche.

Elle s'approcha du lit à petits pas et s'allongea par-dessus la couverture. Remarquant les poils drus qui envahissaient son visage, elle éprouva un violent désir de les sentir contre sa joue. Le préférait-elle en toge romaine ou caché sous une couverture ? se demanda-t-elle en sentant les cuisses musclées du cow-boy contre sa jambe.

Mais, dès qu'elle perçut la profonde lassitude dans la voix de Riley, Beth oublia instantanément toute pensée érotique.

— C'était la veille de Noël, commença-t-il avec effort. Il y a six ans exactement. A l'époque, je menais une vie facile. Cela faisait déjà plusieurs années que j'exploitais le ranch de mes parents, depuis la mort de mon père. J'élevais des chevaux, mon bétail remportait tous les concours, et j'étais sur le point d'épouser la fille avec qui je sortais depuis le lycée.

Ne pose pas de question stupide, s'écria une petite voix à l'intérieur de Beth. Ce qui ne l'empêcha pas de demander :

— Elle était jolie ?

Riley écarquilla les yeux et la fixa un moment avant de répondre :

— Elle était très belle. Tout le monde lui répétait qu'elle aurait pu devenir mannequin ou actrice de cinéma.

Beth accusa le coup. Qu'y avait-il de surprenant à ce qu'un homme comme Riley Keenan sortît avec une créature de rêve ? Il était le genre à faire tomber toutes les femmes à ses pieds. Il n'était pour s'en convaincre que de se rappeler celle qui s'était retournée sur lui au supermarché.

Et pourtant, il ne lui avait pas accordé un regard, cela non plus n'avait pas échappé à Beth.

Il poursuivit :

— Alicia et moi avons grandi comme de jeunes chiens fous. Toute notre vie n'était que rodéos, courses de voiture, fêtes innombrables. Et puis nous avons décidé de nous installer et de jouer aux adultes. L'idée d'avoir des enfants ne nous a même pas effleuré l'esprit. Nous voulions juste construire une maison et faire de l'élevage. Nous avions prévu de nous marier à la fin du printemps.

Beth se remémora la superbe propriété qu'ils avaient dépassée avant d'arriver au chalet. C'était la maison qu'il avait construite pour une autre femme, songea-t-elle avec une pointe d'amertume. Elle secoua la tête. Qu'avait-elle imaginé ? Qu'il avait bâti cette demeure pour elle, sous le coup d'une prémonition ?

Pourtant, une pensée continua de lui trotter dans l'esprit. La maison qu'elle avait vue ne ressemblait pas au genre d'endroit qu'aurait aimé habiter une femme adorant sortir et s'amuser. C'était plutôt une demeure que l'on imaginait remplie d'enfants, entourée d'un jardin potager, d'une pelouse et d'une mare avec des canards. Ou bien était-ce son imagination qui lui faisait projeter ses propres rêves dans la vie de cet homme ?

Après un silence, Riley poursuivit :

— Alicia et moi revenions de Calgary où nous avions passé le réveillon de Noël, dans sa famille. Nous étions heureux : les cadeaux, le champagne, les sourires des petits cousins… Et puis, en retrait de l'autoroute, au bout d'un chemin, nous avons croisé un vieux mobile home. Lorsque nous sommes arrivés à sa hauteur, quelque chose m'a attiré l'œil. J'ai continué ma route, mais j'étais pratiquement certain d'avoir aperçu une lumière trembler dans l'encadrement d'une fenêtre. Au bout d'un kilomètre, j'ai fait demi-tour pour en avoir le cœur net.

Alicia était furieuse et s'est mise à ronchonner. Elle avait hâte de rentrer.

La belle Alicia, le visage vert de rage, en train de pester ! Beth ne put réprimer un sourire à cette image.

— Elle habitait à près de vingt minutes de chez moi, expliqua Riley.

Ils ne vivaient donc pas ensemble ! observa Beth, non sans un certain soulagement. Puis la honte l'envahit. Que lui arrivait-il ? Riley Keenan avait vécu avant de la rencontrer, elle ne l'ignorait pas. Alors pourquoi diable réagissait-elle ainsi ?

Riley reprit son récit :

— Le temps que j'atteigne le mobile home, celui-ci était devenu la proie des flammes. J'ai dit à Alicia d'appeler les secours sur son téléphone portable et je me suis approché. J'ai alors pu distinguer par la fenêtre que l'arbre de Noël brûlait. Toute la pièce était en feu.

En discernant le chagrin qui étouffait la voix de Riley, Beth cessa de se faire des réflexions personnelles et concentra son attention sur ce qu'il pouvait ressentir. Manifestement, il souffrait, au souvenir de ces événements.

— J'ai dû défoncer la porte pour entrer, continua-t-il d'une voix rauque. Derrière moi, j'entendais Alicia qui me suppliait de rester en dehors de tout ça, de laisser les pompiers s'en occuper. Mais je savais que les secours n'arriveraient pas à temps. La chaleur et la fumée étaient insupportables. A part la lueur des flammes dans le séjour, tout le reste était plongé dans l'obscurité. J'ai longé le couloir jusqu'à la première chambre. Il y avait une femme endormie. Je l'ai réveillée puis j'ai cassé les carreaux et j'ai fait passer la femme par la fenêtre. Elle était terrifiée. Elle m'a crié d'aller chercher ses enfants dans la pièce à côté. Je me suis alors précipité dans la chambre remplie de fumée. A tâtons, j'ai trouvé deux enfants dans un grand lit. J'en ai pris un sous chaque bras et je suis sorti. Je les ai posés par terre, et ils ont couru vers leur mère en pleurant. J'étais couvert de sang à cause de la vitre brisée et j'avais l'impression que mes poumons étaient en feu. Lorsque j'ai réussi à respirer un peu d'air frais, je me suis rendu compte que jamais auparavant je n'avais su apprécier ce que signifiait être vivant. Des gens commençaient à arriver de partout et j'ai entendu des sirènes au loin.

Riley s'interrompit, le regard empreint d'une profonde tristesse, avant de poursuivre d'une voix à peine audible :

— C'est alors que j'ai entendu la femme crier un nom à plusieurs reprises : Ben, Ben ! J'ai compris qu'il y avait un autre petit dans la caravane.

La voix de Riley se brisa. Sentant un imperceptible tremblement parcourir ce corps puissant, Beth s'approcha et lui prit la main, dont la peau rêche lui sembla étrangement douce. Ses fantasmes s'étaient complètement évanouis, lui seul comptait à présent.

Il se racla la gorge et se força à continuer :

— J'ai décidé d'y retourner. Alicia s'accrochait à moi en hurlant d'une manière hystérique. Mais je l'ai repoussée, et je suis entré. A l'intérieur, on aurait dit l'enfer. J'ai appelé le nom du petit, mais ma voix était couverte par le grondement du feu. Tout commençait à s'écrouler autour de moi.

Riley suspendit de nouveau son récit et demeura silencieux un long moment.

Beth garda sa main dans la sienne et attendit qu'il se sente prêt à poursuivre.

— Je ne suis pas allé très loin cette fois, murmura-t-il. Une partie du toit s'est effondrée sur moi et, lorsque j'ai repris conscience, j'étais à l'hôpital.

Ses lèvres se tordirent en une moue amère.

— J'étais traité comme un héros.

Beth hésita à lui poser la question qui lui brûlait les lèvres. La réponse, elle la connaissait, mais son cœur sentait confusément que Riley avait besoin de se libérer définitivement de ses souvenirs, si pénibles fussent-ils.

— Et l'autre petit garçon ? demanda-t-elle dans un souffle.

Riley prit une profonde inspiration.

— Il avait deux ans. On l'a retrouvé recroquevillé sous le lit. Personne n'a compris ce qu'il faisait là. Il... il n'a pas survécu.

— Oh, Riley ! s'exclama Beth, au bord des larmes.

— Vous parlez d'un héros ! lança-t-il d'une voix amère.

— Ne dites pas cela..., murmura Beth. Mais elle savait qu'elle n'était pas en mesure d'alléger la peine de Riley, et que ses paroles de consolation resteraient vaines. Rien n'aurait servi non plus de lui rappeler que trois personnes étaient toujours en vie grâce à lui. Il le savait, et cela ne lui était d'aucun secours. Pourtant, même s'il n'était pas prêt à l'entendre, Riley était un héros. Et il faudrait bien qu'il admette un jour que, cette nuit-là, il avait sauvé deux enfants et une femme de la mort au mépris de sa propre vie. Et que cela n'avait pas de prix.

— Continuez, dit-elle doucement.

Il la regarda, interloqué.

— L'histoire est finie.

— Continuez, répéta-t-elle.

Au plus profond de son âme, Beth savait que c'était dans le non-dit que se cachait la cause de l'attitude distante de Riley, ce qui l'avait poussé à couper du bois au lieu de décorer un sapin de Noël.

Il soupira.

— Je ne supportais pas tout ce battage à propos de mon héroïsme. La presse locale et la télévision réclamaient sans cesse des interviews. Puis j'ai appris que j'allais recevoir une médaille pour ma bravoure. Le jour de la cérémonie, je me suis enfui à cheval dans les collines. C'est à ce moment-là que j'ai découvert à quel point j'aimais cette région. J'ai pris l'habitude d'y retourner souvent, avec mon cheval.

En écoutant Riley, Beth eut l'intuition de comprendre son farouche besoin de solitude. Elle sentit son cœur gonfler dans sa poitrine, comme si l'amour qu'elle éprouvait pour lui ne pouvait y être contenu tout entier.

L'amour ? Grands dieux, comment était-ce possible ? Elle le connaissait à peine ! Et pourtant, il semblait que tout dans l'univers s'était ligué pour que leurs routes se croisent. Sans aucun doute, c'était bien de l'amour qu'elle ressentait pour lui, et dès lors qu'il lui avait raconté son douloureux passé, elle avait le sentiment de le connaître intimement.

Elle se souvint qu'en apercevant pour la première fois les cicatrices sur le cou du cow-boy, elle avait senti que celles-ci faisaient partie de lui. A présent, elle comprenait qu'elles représentaient les marques que son courage avait imprimées dans sa chair.

— Je crois que vous êtes véritablement un brave, finit-elle par décréter. Que vous le vouliez ou non.

Riley secoua la tête puis leva les yeux au plafond.

— Voyez-vous, Beth, l'héroïsme implique une décision consciente. Et je vais vous avouer ce que je n'ai jamais dit à personne. A aucun moment, dès la seconde où j'ai aperçu cette lumière orange dans la fenêtre, je n'ai opéré un seul choix. J'ai fonctionné par réflexe. Je n'ai pas décidé de me jeter dans les flammes. J'y suis allé, c'est tout.

Il esquissa un sourire contraint.

— Lorsque les gens me disent que j'ai été courageux, j'ai envie de rire. Sans peur, il n'y a pas de courage. Or, je n'avais aucune conscience du danger. J'ai obéi à un instinct animal qui ignorait toute raison, toute crainte, toute maîtrise de soi.

Ses yeux se plissèrent.

— C'est ce qu'Alicia n'a pas compris. Je crois qu'elle ne m'a jamais pardonné de ne pas l'avoir écoutée cette nuit-là. Je l'ai surprise parfois à regarder mes cicatrices avec répugnance et colère. C'était comme si elle m'en voulait d'avoir délibérément choisi de gâcher notre vie.

— En quoi aviez-vous gâché votre vie ?

— Nos relations ont commencé à se détériorer. Ce n'était pas la faute d'Alicia. J'avais changé. Avant ces événements, j'étais un jeune homme ambitieux qui, comme Alicia, aimait prendre du bon temps. Je projetais de gagner des millions de dollars, qu'elle se contenterait de dépenser. Nous devions voyager dans le monde entier pour faire des affaires ; en somme nous allions être des personnages importants !

Mais, après cette nuit de Noël, plus rien ne m'importait. Tous ces rêves que j'avais bâtis n'avaient plus aucun sens. Je ne supportais plus la compagnie des gens. Les fêtes me rendaient malade. Plus rien ne m'enivrait, ni les courses de voiture, ni les rodéos. Je n'ambitionnais plus de gagner beaucoup d'argent, je trouvais que mon ranch me suffisait largement. Je ne souhaitais plus parcourir le monde. Et, même lorsque toute cette excitation à propos de mon héroïsme est retombée, j'ai senti que je ne pourrais plus jamais être le même. Toute la vie que j'avais menée jusqu'à cet incendie me semblait superficielle et dérisoire.

Alicia est restée avec moi pendant deux mois, mais elle souhaitait que les choses redeviennent comme avant et je savais que c'était impossible. Un jour, elle m'a déclaré que je ne l'amusais plus, et elle m'a rendu la bague que je venais de lui offrir, en fiançailles. Elle avait raison. Je n'avais plus envie de m'amuser… Ni de l'amuser. Il y avait des jours où je m'estimais déjà heureux de pouvoir mettre un pied devant l'autre. Comment aurais-je pu me divertir quand tout ce que je voulais savoir, c'était pourquoi j'avais survécu et que le bébé était mort ? Qu'avais-je accompli de si méritoire dans mon existence qui me rendît digne de vivre ? J'avais bravé la mort des dizaines de fois, mais elle n'avait jamais voulu de moi. Alors que ce bébé avait toute la vie devant lui et l'on ne lui avait pas donné sa chance.

Une profonde obscurité avait envahi le chalet. A la lueur vacillante du poêle, Beth scruta les traits durcis de Riley. Celui-ci enchaîna :

— La mère m'envoie des cartes de vœux à chaque Noël, avec des photos de ses deux enfants, Sarah et Daniel. Mais elle ne parle jamais de Ben. Elle ne m'en a pas voulu. Personne ne m'a accusé de rien, mais moi, je ne cesse de me reprocher ce qui s'est passé. Je crois que je le ferai jusqu'à la fin de ma vie.

Il se tourna vers Beth et lentement articula :

— Et c'est pour cette raison que je hais Noël.

La jeune femme resta silencieuse un long moment, puis déclara :

— Je suis contente que vous ne l'ayez pas épousée, Riley.

— Pardon ?

— Alicia, vous avez bien fait de ne pas vous marier avec elle, répéta Beth. Je ne crois pas qu'elle vous ait quitté parce que l'incendie vous avait ôté l'envie de vous amuser. Elle a compris que cet événement vous avait emporté dans des sphères qui lui restaient inaccessibles. Il vous a dévoilé les profondeurs de votre âme. Alicia n'a jamais su qui vous étiez vraiment, Riley. Sinon, elle n'aurait pas tenté de vous retenir lorsque vous vous êtes jeté dans les flammes. La grandeur de votre âme l'a effrayée, car elle lui a renvoyé sa propre vanité, sa superficialité en miroir.

— Je ne pense plus beaucoup à elle. Lorsque cela m'arrive, j'ai l'impression que nous étions des étrangers l'un pour l'autre.

Riley considéra Beth d'un sourire las.

— Comment se fait-il qu'une personne aussi jeune et jolie que vous connaisse quoi que ce soit aux profondeurs de l'âme humaine ?

Tout en notant mentalement qu'il la trouvait jolie, Beth réfléchit un instant avec sérieux.

— La mort de ma sœur a fait voler en éclats toutes mes certitudes en ce qui me concernait, finit-elle par expliquer. Et depuis, petit à petit, je découvre ce que je suis, et surtout ce que je ne suis pas.

— Et vos conclusions ?

Elle eut un petit rire.

— Par exemple, j'avais toujours cru que je n'étais bonne à rien, jusqu'à ce que je me rende compte à quel point Jamie avait besoin de moi. Que pourrais-je demander de plus ? Bien sûr, il y a encore des jours où je ne sais pas exactement qui je suis. Est-ce que je ressemble à ma sœur ? Etait-elle toujours parfaite, et moi plutôt quelconque ? Ou bien y avait-il en chacune de nous des défauts et des qualités ?

— Ce sont là des questions difficiles, approuva Riley gravement. Au fait, Jamie m'a parlé d'un ex-petit ami qui vous aurait quittée à cause de lui.

— Jamie est au courant ? demanda-t-elle, horrifiée.

— Oui. Mais, sans vouloir me mêler de ce qui ne me regarde pas, j'ai l'impression que ce Sam est un triste individu.

— Je pense qu'Alicia n'a rien à lui envier !

Ils se regardèrent et rirent doucement.

— Quand ma sœur est morte, reprit Beth, je me suis rendu compte que la vie essayait de me faire comprendre quelque chose.

— La leçon était dure, commenta Riley d'un ton amer.

— Parfois, c'est la seule manière d'apprendre, Riley.

— Je regrette, mais j'ai du mal à imaginer ce que la vie a essayé de m'enseigner cette nuit-là.

— Peut-être a-t-elle tout simplement voulu vous montrer qui vous étiez, en réalité.

— Vous voulez dire un cow-boy solitaire et grincheux ?

— Au contraire ! Vous êtes si généreux qu'elle n'a pas permis que vous soyez dévoré par l'existence que vous vous apprêtiez à mener. Vous êtes à la fois sensible et fort, deux qualités qui ne se rencontrent pas souvent chez une même personne.

— Beth, interrompit Riley, vous ne me connaissez pas.

— Oh, si, répondit-elle en souriant. J'en sais beaucoup sur vous. Je sais que vous avez erré dans le désert, et que vous cherchez votre route pour rentrer chez vous.

Il ne souffla mot.

— Connaissez-vous le chemin du retour ? murmura-t-elle.

— Non.

Beth se pencha et effleura de ses lèvres la joue rugueuse de Riley.

— Moi non plus, mais nous pourrions le trouver ensemble.

Ses lèvres frôlèrent gauchement celles de Riley. Et, lorsqu'il répondit par un baiser, toute timidité s'envola, faisant place à une hardiesse qu'elle ne se connaissait pas.

Et soudain, Beth sut qui elle était vraiment.

Lorsque Riley cueillit les lèvres douces et tièdes de Beth, il comprit que ce qu'elle lui offrait était plus important qu'un baiser. C'était l'acceptation de lui-même, le pardon, la sérénité. Cela faisait six ans qu'il fuyait. Et aujourd'hui cette tendre jeune femme blottie contre lui avait réussi, grâce à quelque sortilège, à le convaincre d'affronter les démons qui le hantaient. Démons qui, il s'en apercevait à présent, avaient perdu de leur puissance. Il se voyait désormais sous un autre jour. Pas comme le grand homme fort qui aurait dû être capable de changer le cours des événements de cette nuit tragique par sa seule volonté, mais comme une personne ordinaire qui, dans des circonstances exceptionnelles, avait fait de son mieux.

Son maximum. Il n'avait pas ménagé sa peine, il avait même été prêt à donner sa vie. Mais son sacrifice avait été refusé. Non pas qu'il en fût indigne. Au contraire ! Il bénéficiait de la protection d'un univers bienveillant, encore qu'il ne l'eût jamais admis.

Car, tout bien pesé, les six dernières années ne lui avaient-elles pas été bénéfiques ? Il avait choisi une existence solitaire, soit, mais n'en avait-il pas profité pour découvrir sa véritable nature ? Celle d'un homme simple, sans souci de grandeur. Un travailleur acharné, satisfait de ce qu'il possédait. Un homme qui s'était cherché dans les plaisirs procurés par la beauté d'une femme ou l'étourdissement des fêtes, et qui pour finir avait reçu en cadeau la sagesse de mesurer la vanité de son existence.

C'était cet autre homme en lui qu'avait fait naître l'incendie, celui qui était prêt à rendre à la vie ce qu'il en avait reçu. Mais, dès lors que cet être nouveau était apparu, il n'avait pas pu retourner dans l'ombre. Alicia l'avait compris et avait préféré se retirer. Leurs personnalités s'étaient alors révélées incompatibles. La cicatrice sur son cou avait rappelé chaque jour à Alicia qu'il avait changé, et elle non.

Cela faisait six ans qu'il tentait d'accepter l'homme qu'il était devenu. Etait-ce une coïncidence, si la réponse à ses doutes lui parvenait à cette époque précise de l'année où avait commencé sa traversée du désert ? Toutefois, il restait un pas à franchir, il le savait, avant que ne s'achève son long voyage.

Il lui fallait tout d'abord se pardonner à lui-même.

Sous le baiser de Beth, toute culpabilité s'évanouit peu à peu et un sentiment de profonde plénitude l'envahit. Lorsqu'il accepta sans plus de retenue l'invitation des lèvres de la jeune femme, une vague de désir déferla en lui. Jamais il n'avait éprouvé une attirance de cette sorte pour une femme. Beth était de ces êtres qui sortent renforcés des épreuves de la vie sans pour autant perdre leur pureté, ni leur authenticité.

Sentant avec délices sous ses doigts la douceur de la peau de la jeune femme, il laissa remonter sa main sur son bras diaphane, puis la faufila sous ses cheveux soyeux pour effleurer sa nuque souple et fragile. Après avoir détaché ses lèvres des siennes, il déposa une cascade de petits baisers sur la chair qu'il enflammait de ses caresses. Avec un mélange de fougue et de délicatesse, il fit glisser le T-shirt de l'épaule de Beth et embrassa cette courbe dénudée, depuis la ligne gracile du cou jusqu'aux lobes tendres des oreilles.

Sous les baisers de plus en plus pressants de Riley, Beth soupira de plaisir.

Mais ce fut précisément ce soupir de bien-être qui fit reprendre à Riley ses esprits. Il avait changé, il ne pouvait décemment se conduire avec insouciance et égoïsme. C'était pour protéger une femme et un enfant qu'il était revenu au chalet, pas pour profiter de leur faiblesse. Beth Cavell n'était pas le genre de femmes à se livrer à des jeux amoureux avec légèreté, même si, dans le feu de l'action, elle était fort capable de se laisser entraîner. Pendant des années, il avait tenté de se débarrasser de l'étiquette de héros qui lui collait malgré lui à la peau.

Mais, pour l'heure, c'était exactement ce qu'il ambitionnait d'être : un héros, pour Bethany Cavell. Peut-être, en fin de compte, était-ce cela qui distinguait les grands hommes des autres — pas la bravoure aveugle de se jeter dans les flammes, mais le courage de prendre des décisions difficiles. Aussi, malgré le désir qui embrasait ses sens, remonta-t-il le T-shirt de la jeune femme sur son épaule et lui donna-t-il un dernier baiser sur le front.

— N'arrêtez pas, supplia-t-elle.

S'il y avait une chose au monde que Riley souhaitait plus que tout en cet instant précis, c'était bien de poursuivre ce qu'il avait commencé. Il brûlait du désir de couvrir Beth de baisers, jusqu'à lui ôter le souffle, jusqu'à ce qu'un tourbillon de plaisir les emportât ensemble et leur fît perdre la tête. Il rêvait de lui retirer un à un ses vêtements, de lentement dévoiler les délices de son corps et d'explorer, de ses doigts et de sa bouche, chaque centimètre de sa peau. Il avait besoin de sentir les lèvres de Beth sur les siennes, ses mains tremblantes dégrafer le bouton de son jean…

— Nous ne devons pas continuer, réussit-il à articuler d'une voix rauque.

Il prit Beth dans ses bras et la serra contre lui. Il ne voulait pas qu'elle se crût rejetée. Elle devait comprendre que ce n'était pas par cruauté qu'il avait interrompu ses caresses. Non, tout au contraire. C'était par amour. L'amour le plus pur qu'il eût jamais éprouvé. Les intérêts de Beth passaient avant les siens propres. Et la dernière chose dont elle avait besoin, c'était d'une aventure sans lendemain avec un cow-boy que le sort avait déposé en travers de sa route.

Lorsqu'il sentit la jeune femme pressée contre lui se détendre avec confiance, il sut qu'il avait pris la bonne décision. Elle avait renoncé à franchir le pas dont elle s'était crue capable un instant auparavant. Peu à peu, la respiration de Beth se fit profonde et régulière. Une étrange émotion s'empara de Riley au contact du corps menu blotti contre sa poitrine, du souffle tiède sur sa peau, des cheveux épars sur son bras.

Bien que rompu de fatigue, il ne réussit pas à trouver le sommeil. Aussi fut-ce dans un état de semi-conscience qu'il se rendit compte soudain que c'était le mot « amour » qu'il avait évoqué pour décrire ce qu'il ressentait à l'égard de la jeune femme. Ce qui, bien sûr, était impensable ! Bonté divine, il la connaissait à peine ! Et pourtant, il ne pouvait se défendre de l'étrange sensation que Beth avait toujours fait partie de sa vie.

Un doute soudain et irrépressible, qui n'avait certes rien d'héroïque, lui étreignit le cœur. Il n'avait plus du tout envie de dormir et se prit à réfléchir, en fixant le plafond des yeux. Devait-il rester, ou quitter les lieux ? Avec un peu de chance, il arriverait à dégager son pick-up du fossé et à regagner son ranch dès le lendemain. Mais pouvait-il sans remords abandonner une femme et un enfant, alors que les pires dangers les menaçaient de toutes parts ? Ou bien cela ne lui servait-il que d'excuse ? Ruminant cette question, il finit pourtant par s'endormir.

Une petite voix aiguë le tira de son sommeil agité.

— Aujourd'hui, c'est la veille de Noël !

Riley ouvrit un œil et fixa l'ours en peluche qui dansait devant son nez. Ainsi, il était resté. Soit ! Il ne refuserait pas d'assumer les conséquences de sa décision, si inconsciente fût-elle.

Apercevant une forme allongée à côté de Riley, Jamie se pencha, les yeux écarquillés de surprise.

— C'est tante Beth à côté de toi ? Vous avez dormi ensemble ?

— On peut dire ça, répondit Riley qui ajouta intérieurement : « Pourtant, pas au sens où on l'entend d'habitude. »

Jamie hocha la tête d'un air entendu.

— Tu as eu peur, hier soir ?

— Pourquoi me demandes-tu ça ? s'étonna Riley.

— Tante Beth vient toujours dormir avec moi quand j'ai peur.

Riley mesura tout à coup l'étendue de l'innocence révélée par ces paroles. Jamie ignorait totalement ce qu'impliquait la notion de « dormir ensemble ». Aucun homme n'était présent dans la vie de l'enfant, ce qui donnait à penser que l'ex-petit ami de tante Beth n'avait jamais couché à la maison.

Il sourit intérieurement. Pourquoi diantre cette idée le mettait-elle de si bonne humeur ? Se pouvait-il que lui, si libre et indépendant, se révélât subitement jalousement possessif ?

Jamie se pencha, puis, avec une mine de conspirateur, ajouta à voix basse :

— Je voudrais que tu m'emmènes avec Buddy Bear faire de la luge. Juste nous trois. J'ai un secret à te dire.

Riley acquiesça avec sérieux. Un héros devait se montrer digne des confidences d'un petit garçon.

9.

— Tante Beth, décréta Jamie d'un air important, après le petit déjeuner, Riley, Buddy Bear et moi allons faire de la luge. Entre hommes.

Riley vit Beth relever la tête, interloquée. Il avait rarement vu visage aussi rayonnant. Certes, la jeune femme ne possédait pas le même genre de beauté qu'Alicia. Et c'était aussi ce qui la rendait magnifique. Il n'y avait rien d'artificiel dans son apparence, aucun vernis pour masquer ses sentiments. Heureusement qu'il n'avait pas cédé à ses impulsions cette nuit ! songea-t-il. Il avait bien manqué commettre la pire erreur de sa vie, il s'en rendait compte maintenant.

— Il n'est pas question que tu sortes sans moi, s'exclama Beth, boudeuse. Et cette expression « entre hommes » est ridicule. Ta mère et moi ne t'avons pas élevé pour faire de toi un petit macho en herbe.

— Qu'est-ce que c'est, un macho ? rétorqua Jamie sans se démonter. Ça concerne le sexe ? Bobby Dunlop m'en a parlé, et Mme Beckett a dit que nous n'avions pas le droit de discuter de sexe à la maternelle.

Riley étouffa un éclat de rire en apercevant le regard désapprobateur de Beth.

— Qu'est-ce que Bobby Dunlop t'a raconté ? demanda-t-elle, indignée.

— Je te l'ai dit, je n'ai pas le droit d'en parler tant que je suis à la maternelle. Peut-être quand j'entrerai au CP. Je me renseignerai.

— A moi, tu peux tout dire, insista Beth.

— Tu me promets que tu ne le répéteras pas à Mme Beckett ?

— Croix de bois, croix de fer...

Riley avait suivi cet échange avec un immense intérêt. Le rôle de mère avait peut-être été dévolu à Beth avant qu'elle ne fût prête à l'assumer, mais à n'en pas douter, elle était née pour remplir cette fonction. Courageuse et plus forte qu'elle ne le croyait elle-même, il devait lui arriver de se tromper parfois, mais la plupart du temps elle agissait avec fermeté et sagesse, il en était sûr.

Jamie hésita une seconde avant de se lancer dans une explication :

— Eh bien, Bobby a deux cochons d'Inde. Au début, il croyait que c'étaient deux garçons, mais en fait l'un des deux est une fille. Et pour le sexe, c'est ce qu'il faut, un garçon et une fille...

— Tu as raison, l'encouragea Beth en se mordant la lèvre pour réprimer un fou rire. Continue.

— Alors, ils se sont mis ensemble et ont eu des bébés. Je peux en avoir un ? Je voulais le rajouter dans ma lettre au Père Noël, mais j'ai oublié.

— Absolument pas ! répliqua Beth d'une voix ferme. Ni cochon d'Inde, ni aucun autre animal.

Intrigué, Riley intervint :

— Pourquoi pas ?

— Nous habitons dans un camp de caravaning, et il est interdit d'avoir des animaux domestiques.

Riley fronça les sourcils. L'idée que Jamie fût soumis à un tel règlement le contrariait plus qu'il n'aurait su le dire. Les petits garçons avaient besoin de la compagnie d'animaux, pour s'épanouir. Et des vrais, pas des cochons d'Inde pour petits citadins !

Quant à imaginer Beth et Jamie vivant dans une caravane, cette pensée lui déplaisait tout aussi fortement.

— C'est un modèle récent, j'espère ? interrogea-t-il. Le mobile home, je veux dire.

Consciente de la douleur qu'avait éveillée en lui ce seul mot, Beth contempla Riley fixement pendant quelques secondes, les traits empreints d'une tendresse infinie.

— Notre caravane n'a que trois ans, le rassura-t-elle. Nous sommes tout à fait en sécurité.

Puis se tournant vers le petit garçon :

— Et Jamie, un macho est un homme qui pense que les femmes ne devraient pas faire certaines choses, comme, par exemple, conduire un camion.

— Mais il y aussi des femmes sexistes qui croient qu'un homme n'est pas capable d'être infirmier, osa Riley.

— Jamie n'a que cinq ans, objecta Beth. Ne lui embrouillez pas les idées. Tout ce que j'essaie de lui expliquer, c'est que je suis très vexée d'être exclue de votre sortie en luge pour la seule raison que je suis une femme.

Jamie médita la remarque de sa tante avant de décider :

— D'accord ! Disons que tu n'as pas le droit de venir avec nous parce que tu as les cheveux châtain clair. Riley, Buddy et moi avons tous les trois les cheveux noirs. La luge est réservée aux bruns.

— C'est donc de la discrimination, conclut-elle.

Riley entrevit alors clairement pourquoi une famille devait se composer d'un homme et d'une femme. Car, si digne d'éloges que fût Beth dans son rôle de mère, elle tendait à vouloir tout expliquer, à saisir la moindre occasion pour inculquer une leçon. Or, ce dont avait parfois besoin un petit garçon, c'était quelqu'un à qui obéir sans discussion.

— Ta tante vient avec nous, décréta Riley d'un ton ferme.

— Bon, soupira Jamie. Je te raconterai plus tard.

— Que lui diras-tu ? questionna Beth, méfiante.

Devant la mine désemparée de l'enfant, Riley répondit, pince-sans-rire :

— Oh, rien ! C'est une affaire d'hommes !

Lorsque Beth leva les yeux au ciel et esquissa une moue de dépit, Jamie grimpa sur ses genoux et la gratifia d'un baiser sonore :

— Ça ne veut pas dire que nous ne t'aimons pas, tante Beth !

Nous ? Une rectification s'imposait, mais, curieusement, Riley n'en sentit pas la nécessité.

Le visage de Beth s'illumina.

— C'est tout ce que j'avais besoin d'entendre ! s'exclama-t-elle.

Le petit déjeuner terminé, ils s'habillèrent chaudement et gagnèrent une colline peu élevée qui offrait une piste parfaite pour des descentes en luge.

Riley, la tête pleine des souvenirs heureux de son enfance, tira la luge jusqu'à mi-pente, suivi de Beth et de Jamie, tous deux à bout de souffle. La neige continuait de tomber. Il surveilla l'embarquement : Jamie en tête, Beth au milieu, et lui en dernier, ses bras autour de la taille de la jeune femme, son menton posé au creux de son épaule.

Lorsque, après avoir descendu la colline à deux reprises en riant à perdre haleine, Jamie réclama un troisième tour, Beth exigea, les joues rouges d'excitation :

— Partons du sommet, cette fois.

Médusé, Riley la dévisagea. Il avait bien fait de ne pas la laisser seule !

— Sous des dehors de rat de bibliothèque, vous avez une nature diablement aventureuse, à ce que je vois, dit-il.

— Rat de bibliothèque ? s'exclama-t-elle, vexée. Est-ce ainsi que vous me voyez ?

— Quand vous entrerez au CP, je vous expliquerai ce que les hommes pensent des rats de bibliothèques.

— Mais je ne retournerai jamais au CP !

— Alors, tant pis, rétorqua-t-il en haussant les épaules.

Et il dut s'enfuir en courant jusqu'au sommet de la colline pour se soustraire aux boules de neige qu'elle se mit à lui lancer.

Après avoir dévalé plusieurs fois la pente enneigée, ils finirent pas verser dans une congère au pied de la colline, et culbutèrent les uns par-dessus les autres en s'esclaffant.

— Je croyais être en bonne forme physique, avoua Riley, haletant. Mais je n'en peux plus !

Pourtant, rien n'était plus faux. Il aurait pu longtemps continuer à savourer le plaisir de ces instants, sans se lasser. Cela faisait une éternité qu'il ne s'était pas senti aussi heureux. Pour la première fois depuis des années, il avait envie d'accepter tout ce que la vie lui offrait.

Beth jeta un coup d'œil à sa montre.

— C'est l'heure du déjeuner, annonça-t-elle. J'imagine que, puisque je suis entourée de machos, il m'incombc dc préparer le repas.

— J'y vais, si vous voulez, proposa Riley.

— Non, continuez à vous amuser... Entre hommes !

Riley s'assit sur la luge et regarda la jeune femme s'éloigner. Puis il scruta les montagnes autour de lui, et inspira profondément l'air pur et glacé. C'était cela, la vraie vie, celle à laquelle devaient avoir droit tous les petits garçons de la terre. Peut-être les Cavell reviendraient-ils, l'été prochain ? Il leur enverrait les billets d'avion, s'il le fallait.

Jamie rejoignit Riley, serrant fort Buddy Bear contre son cœur.

—Je ne me suis jamais autant amusé, déclara-t-il, le visage radieux. Même à l'anniversaire de Bobby, l'année dernière !

Il prit place aux côtés de Riley, se pencha vers son oreille et chuchota :

— Il faut que je te raconte mon secret.

— Je t'écoute, bonhomme.

— Si je te dis ce que j'ai commandé au Père Noël, tu crois qu'il me le donnera quand même ?

Se jugeant incompétent en la matière, Riley opta pour la franchise :

— Je ne sais pas. Je ne suis pas un expert en ce qui concerne le Père Noël.

— Mais tu as déjà été un enfant, non ?

— Il y a si longtemps que j'ai presque oublié.

— Ne dis pas de bêtises ! On n'oublie pas ces choses-là. Est-ce que le Père Noël t'a toujours apporté ce que tu lui avais demandé ?

Encore une délicate question, s'il en fut !

— Non, répondit Riley, s'en tenant à sa décision d'être honnête.

Une lueur de panique étincela dans les yeux de Jamie.

— Ce n'est pas possible !

— Cependant, il m'a toujours procuré ce dont j'avais besoin.

Les sourcils froncés, Jamie réfléchit un instant.

— Quelle est la différence ?

— Eh bien, par exemple, je pouvais avoir envie d'un pistolet à plomb, mais en réalité c'étaient surtout des moufles neuves qu'il me fallait.

Cette réponse, si sensée fût-elle, ne rassura pas le petit garçon.

— Ce que je veux et ce dont j'ai besoin sont la même chose, tu comprends. En fait, ce n'est pas pour moi que je le demande, c'est pour tante Beth.

— Tu as commandé un cadeau pour ta tante, au lieu d'en demander un pour toi ?

— Oui ! Tu vois, elle s'inquiète tout le temps. Quand elle reçoit des factures, ça la rend malade. Et elle ne sait pas réparer les marches cassées. Alors, elle pleure, toute seule, la nuit. En plus, Sam l'a quittée parce qu'il ne voulait pas de moi.

— Et comment t'imagines-tu que le Père Noël puisse remédier à tout ça ?

— C'est ça, le secret ! s'exclama Jamie, les yeux brillant d'excitation. Je lui ai demandé de m'envoyer un papa.

Riley demeura bouche bée. Un coup de poing dans l'estomac ne lui aurait pas coupé plus sûrement le souffle. Il tenta de rassembler ses esprits, puis, d'un ton mal assuré, déclara :

— Tu sais, Jamie, je crois que fournir des moufles, des camions de pompier, des bicyclettes, et des choses comme ça, fait partie des compétences du Père Noël. Mais ça m'étonnerait qu'il ait des papas disponibles dans son grand sac. En tout cas, je ne l'ai jamais entendu dire.

— Moi, je suis sûr que ça lui est possible, rétorqua Jamie, obstiné. Il fait seulement ses livraisons de personnes avant celles des jouets.

— Qu'est-ce qui te fait dire cela ?

— Je m'en suis aperçu tout de suite. A l'aéroport.

Interdit, Riley resta sans voix. Dans quel pétrin s'était-il mis ? C'était lui, le papa commandé au Père Noël, il l'entrevoyait maintenant ! Jamie en était persuadé et rien au monde ne l'en ferait démordre. D'une certaine façon, Beth était responsable de cette situation plus que gênante. Elle aurait dû le prévenir, c'eût été la moindre des choses, non ?

Un souvenir confus traversa la mémoire de Riley tel un éclair. Beth n'avait-elle pas tenté de lui faire comprendre quelque chose ? Certes, elle lui avait dit que Jamie cherchait un héros, mais, grands dieux, il y avait loin d'un héros à un père ! Très loin. Et cette différence, il se proposait de l'expliquer à la jeune femme séance tenante. Dès qu'il se serait suffisamment calmé pour être capable de parler sans avoir recours à quelques grossièretés de son cru !

Beth les entendit arriver avant qu'ils n'aient atteint la porte d'entrée. C'était donc cela, l'amour ? Le cœur qui s'emballe au bruit d'un certain pas sur le seuil ?

Tout comme elle avait mesuré à quel point la bonne étoile de Riley l'avait protégé en l'empêchant d'épouser Alicia, elle réalisait avec lucidité à quoi elle-même avait échappé en renonçant à ses projets d'avenir avec Sam. Elle n'avait pas aimé cet homme, elle n'en doutait plus à présent. Elle s'était persuadée que l'amour ne se trouvait que dans les contes de fées, et s'était résignée à se contenter de ce que Sam lui procurait.

Aussi se trouvait-elle quelque peu désorientée, alors que les premiers émois de l'amour s'emparaient d'elle. Elle ne savait quelle attitude adopter devant Riley. Devait-elle laisser son visage exprimer ses sentiments ? Qu'aurait fait Penny, à sa place ?

Penny se serait probablement jetée au cou de Riley pour l'embrasser, se dit Beth, navrée. Peut-être pouvait-elle trouver un juste milieu entre une démonstration bruyante de ses émotions et une retenue plus conforme aux manières de l'ancienne Beth.

Avec un sourire, elle s'avança vers Riley et Jamie pour les accueillir. Et son cœur s'arrêta de battre.

Désemparée, elle les dévisagea. Que se passait-il ? Les traits de Riley étaient figés, son visage avait perdu toute chaleur, toute trace de tendresse. Où était l'homme qui l'avait tenue dans ses bras la nuit dernière, qui lui avait pris la main pour la guider sur la colline enneigée, qui l'avait taquinée et fait rire aux éclats ? Où était l'homme qui avait fait se lever le soleil dans un monde devenu tout gris ?

Celui qu'elle voyait devant elle en cet instant était le même que celui qu'elle avait rencontré à l'aéroport. Non, pire, même ! Car leur hôte étranger n'avait fait que manifester une certaine impatience à leur endroit. Et nul doute que ce que celui-ci éprouvait allait bien au-delà de la simple irritation…

Il était furieux, cela se voyait dans les éclairs que jetaient ses yeux, dans la rigidité de ses mâchoires serrées.

— Jamie, bredouilla Beth, va enfiler des vêtements secs.

Sensible à l'atmosphère glaciale qui avait envahi la pièce, Jamie regarda tour à tour sa tante et Riley d'un œil inquiet, puis s'éclipsa sans un mot.

Beth s'avança et, posant la main sur le bras de Riley, s'enquit :

— Quelque chose ne va pas ?

Le cow-boy se dégagea vivement, faisant reculer Beth, abasourdie.

— Vous m'aviez dit qu'il cherchait un champion, quelqu'un à admirer. Mais il n'a jamais été question d'un père ! s'exclama-t-il, incapable de contenir sa colère.

Beth accusa le coup. Interdite, elle hésita, ne sachant que répondre.

— Si, au moins, vous m'en aviez parlé, continua Riley, tout cela ne serait jamais arrivé.

— Que s'est-il passé ?

— Il croit que je lui ai été envoyé par le Père Noël pour lui servir de père. Vous étiez au courant de ses fantasmes ?

— J'ai essayé de vous le faire comprendre.

— Vous ne m'avez pas dit toute la vérité.

— Je croyais pouvoir y remédier.

— Comme vous pensez être capable de vous charger de tout, n'est-ce pas ?

Beth sentit une irritation croissante l'envahir.

— C'est parfaitement exact ! Voyez-vous, je m'occupe de tout parce que j'y suis obligée. Et je m'en tire très bien !

— Ah oui ? Alors pourquoi vous mettez-vous à pleurer chaque fois qu'arrive le courrier ?

Beth resta pétrifiée. Jamie lui avait tout raconté, ses pauvres défenses face aux difficultés de la vie quotidienne, ses découragements. Mais du moins ne se dérobait-elle jamais à ses responsabilités.

— Je fais de mon mieux, affirma-t-elle crânement.

Des larmes lui picotèrent les paupières. Elle n'allait quand même pas tout gâcher en éclatant en sanglots ! Penny ne se serait jamais permis de pleurer devant un homme, quel qu'il fût !

D'un ton légèrement radouci, Riley revint au sujet qui le préoccupait.

— J'aurais pu éviter à Jamie d'aller au-devant d'une désillusion, si vous m'aviez prévenu.

— Comment ? En empêchant la neige de tomber ?

— Je serais parti.

— A pied ?

— S'il l'avait fallu.

Beth scruta le visage de Riley. Quel piètre menteur il faisait ! Soudain, tel un éclair fulgurant, la vérité se fit jour dans son esprit.

— Vous auriez pu vous en aller n'importe quand, n'est-ce pas ? Ce n'est pas du tout à cause de la neige que vous restez ici, je me trompe ?

Elle vit Riley détourner les yeux, mal à l'aise.

— Etes-vous réellement bloqué ici, oui ou non ? insista-t-elle.

— Pas tout à fait. Ma camionnette a quitté la route, mais j'aurais pu la dégager si j'avais voulu.

— Pourquoi ne l'avez-vous pas fait ?

Elle se mordit la langue. Trop tard ! La réponse ne lui plairait pas, elle en avait le pressentiment.

— Je n'étais pas sûr que vous sauriez vous débrouiller ici toute seule.

Anéantie par les révélations de son interlocuteur, Beth éprouva soudain un sentiment cuisant d'échec et d'humiliation. Riley l'avait percée à jour dès le premier instant. Jamais il n'avait été abusé par ses airs de femme indépendante et responsable. Il avait tout de suite discerné en elle un être vulnérable, incapable de résoudre ses problèmes de factures ou de marches cassées, une femme qu'il valait mieux ne pas laisser seule pendant les fêtes de Noël !

— Je ne vous ai pas dit toute la vérité, rétorqua-t-elle, crispée, car ce que Jamie a écrit dans sa lettre ne vous regarde pas.

En réalité, cela ne la concernait pas non plus, il fallait l'avouer, et elle maudit le jour où elle avait décidé de s'en mêler. Toutefois, il n'était pas indispensable de l'admettre devant Riley Keenan. Elle offrait suffisamment le flanc à la critique dans la situation actuelle ; inutile d'en rajouter !

En fin de compte, ce cow-boy ne différait en rien de Sam. Tout ce qu'il convoitait, c'étaient quelques baisers volés, encore qu'il fût tout à son honneur d'avoir mis volontairement fin à leur étreinte la veille. Peut-être ne faisait-il que chercher une excuse pour s'éloigner. Pourtant, la nuit dernière, il avait semblé apprécié sa compagnie…

Au plus profond de son être, Beth n'aspirait qu'à une chose : supplier Riley de reconsidérer la situation, de demeurer près d'elle, de retrouver le climat de confiance et d'intimité qui s'était instauré entre eux la nuit précédente.

Mais était-ce sage ? Une telle attitude n'aurait certes pas remporté l'adhésion de Penny !

— Vous pouvez partir, déclara-t-elle avec fermeté. Rien ne vous retient.

— Je crois en effet que ce serait plus raisonnable.

La voix de Jamie debout sur le seuil de sa chambre les interrompit :

— Partir ? s'exclama l'enfant au bord des larmes. Tu ne vas pas t'en aller, Riley, dis ?

— Ce sera mieux ainsi, répondit ce dernier.

— Mais je veux être ton petit garçon. Tu avais dit que je ferais l'affaire, parce que j'avais passé l'âge des couches !

Riley mit un genou à terre et appela :

— Viens ici, mon bonhomme !

Lorsque l'enfant se jeta dans ses bras, Riley le serra fort contre lui et murmura avec douceur :

— Je ne suis pas celui que tu crois, Jamie. Ce n'est pas le Père Noël qui m'a envoyé vers toi.

— Tu es sûr ?

Devant l'émotion croissante qui s'emparait visiblement du cow-boy, Beth détourna le regard.

Après un silence, il reprit d'une voix rauque :

— Tout à fait certain. Mais ça ne m'empêchera pas d'être toujours ton ami.

Jamie ne broncha pas.

C'est alors que Beth crut bon d'intervenir :

— Même si Riley n'est pas le papa que tu as demandé, nous avons quand même eu la neige, rappela-t-elle d'un ton qu'elle voulut enjoué.

Jamie se dégagea des bras de Riley et fixa sa tante un long moment.

— Comment tu sais ce que j'ai demandé ? Tu as lu ma lettre, c'est ça ?

Atterrée par la gaffe qu'elle venait de commettre, Beth demeura bouche bée. Comment se justifier devant l'enfant ? Comment lui expliquer qu'elle avait violé son secret ?

Jamie la dévisagea d'un regard empreint de colère, de déception et de peine mêlées. Puis, tournant les talons, il s'enfuit dans sa chambre dont il claqua la porte avec violence.

Riley se releva et fit un pas vers Beth en tendant le bras.

— Beth, je suis vraiment désolé...

Elle s'écarta d'un geste vif. La dernière chose qu'elle souhaitait en cet instant, c'était sa pitié.

— Ce n'est pas votre faute, dit-elle en tournant la tête. Disparaissez, maintenant.

Il y eut un long silence pendant lequel elle sentit la présence de Riley dans son dos. Puis plus rien.

Elle inspira profondément à plusieurs reprises pour tenter de retrouver son calme. Elle ne devait pas pleurer. Pas maintenant. N'avait-elle pas admirablement géré la situation ? Elle n'avait pas quémandé l'amour de cet homme. Elle s'était montrée forte, sa sœur aurait été fière d'elle... Encore que le moment eût été mal choisi de se rappeler ce que le caractère fier et indépendant de Penny leur avait coûté à tous en larmes et en soucis. Car Penny avait été libre, soit, mais elle avait aussi été seule, n'eût été la présence de son fils et de sa sœur. Jamais elle n'avait abdiqué devant qui que ce fût, mais jamais non plus elle n'avait su accorder sa confiance à quelqu'un.

Pour autant, Bethany Cavell pouvait-elle se prévaloir non seulement de manquer totalement de caractère, mais encore de n'ambitionner qu'une chose : ne pas être seule ? Certainement pas ! Mais il serait toujours temps plus tard de réfléchir à tout cela.

Beth chassa ses tristes pensées et alla frapper à la porte de Jamie. La voix furieuse de l'enfant lui parvint au milieu d'un froissement de papier :

— J'emballe des cadeaux, cria-t-il à travers la porte.

Des cadeaux ? Beth avait déjà empaqueté tous les présents qu'elle destinait à Jamie et à elle-même. Tous, excepté un pull-over qu'elle s'était acheté, de la part de son neveu... A la réflexion, ce chandail ne lui plaisait absolument pas. Il était tout à fait quelconque, terne et triste. Un vrai vêtement de rat de bibliothèque ! Elle s'avisa tout à coup qu'il représentait exactement tout ce qu'elle s'était efforcée de ne pas être. En vain !

Elle gagna la fenêtre et aperçut au loin Riley marchant à grands pas dans la neige. Il était parti, ses vêtements encore humides sur le dos. Et s'il prenait froid ? Et s'il en mourait ? Elle sentit une boule d'angoisse lui nouer la gorge.

Voilà donc le Noël qu'elle allait offrir à son neveu ! Jamie, enfermé dans sa chambre, continuerait à froisser du papier, tandis qu'elle mangerait seule un bol de soupe avant de s'effondrer en larmes sur la table. Quelle réjouissante perspective !

Après tout, elle pouvait aussi bien se passer de la soupe et se mettre à pleurer sans attendre ! Elle se jeta sur le canapé. Cependant, elle se sentit si épuisée qu'elle n'eut même pas la force de sangloter. Accablée de chagrin, elle ferma les yeux. Elle se reposerait juste un petit moment, jusqu'à ce que Jamie sorte de sa chambre. Ensuite, elle lui lirait des histoires et, pendant qu'ils se blottiraient l'un contre l'autre, elle tenterait de faire en sorte que les choses redeviennent comme avant. Avant qu'elle ne commette l'erreur de venir passer les fêtes dans cet endroit...

Les yeux de Beth se fermèrent, et elle sombra dans un profond sommeil.

Lorsqu'elle se réveilla, elle frissonna, saisie de froid. Le feu avait dû s'éteindre. Riley venait à peine de partir, et déjà, elle se révélait incapable d'entretenir le poêle ! Il fallait lui montrer qu'elle n'était pas si incompétente qu'il avait l'air de le penser, et avant tout se le prouver à elle-même !

En se dirigeant vers le poêle, elle remarqua qu'un courant d'air glacé s'infiltrait par la porte laissée entrouverte. Pendant quelques secondes, elle ne saisit pas toute la portée de cette découverte. Puis, constatant que la porte de Jamie était grand ouverte, elle se rua dans la chambre. Des morceaux de papier doré jonchaient le sol, mais Jamie avait disparu. Ainsi que Buddy Bear !

Beth se précipita vers la sortie. Gravés sur le sol couvert de neige, des petits pas s'éloignaient dans la direction du chemin qu'avait pris Riley Keenan un instant auparavant.

10.

A la vue de ces fragiles empreintes perdues dans la neige, Beth fut saisie de panique. Elle scruta l'horizon mais n'aperçut nulle trace du petit garçon. Depuis combien de temps s'était-il sauvé ? Une demi-heure ? Plus ? Elle se mit à appeler son nom à tue-tête. En vain ! L'immense muraille blanche qui l'entourait absorbait ses cris et les étouffait. Sentant qu'une terreur indicible menaçait de la submerger tout entière, elle se força à prendre une longue et profonde inspiration. Céder à l'affolement ne lui serait d'aucun secours. Pour l'instant, elle devait conserver son calme afin d'être en mesure de réfléchir avec lucidité. Il lui fallait se lancer à la poursuite de l'enfant, elle le savait, mais la région était dangereuse et ne pardonnerait pas le moindre faux pas.

Aussi Beth choisit-elle soigneusement des vêtements secs, chaussa des bottes, saisit la trousse de premiers secours accrochée derrière la porte d'entrée, puis, d'un pas résolu, sortit affronter la tempête. Les tourbillons de neige commençaient à recouvrir les traces de Jamie. Comment l'enfant pouvait-il distinguer les pas que lui-même suivait ?

De nouveau, la jeune femme chassa l'angoisse qui s'emparait d'elle et s'efforça d'examiner calmement la situation. Le chemin délimité par les arbres demeurait visible et Jamie n'avait aucune raison de s'en éloigner. A condition que ce fût bien après Riley qu'il courût. Et s'il avait fait une fugue, furieux que sa tante l'eût trahi, le cœur brisé de voir que son rêve d'avoir un père ne se réalisait pas ?

Beth sentit à nouveau une vague d'anxiété l'envahir, mais elle la contint aussitôt. C'était de toute sa force intérieure qu'elle avait besoin dans l'immédiat. Et cette force, elle la puiserait dans son amour et son courage.

Elle respira profondément et s'engagea sur le sentier enneigé.

Lorsque Riley parvint à l'endroit où il avait abandonné sa camionnette, celle-ci avait disparu sous la neige. Il déblaya l'une des portières du pick-up et glissa le bras à l'intérieur de la cabine pour en extraire une pelle avec laquelle il entreprit de dégager le véhicule. Fournir un exercice physique pénible lui serait salutaire, il n'en doutait pas. Il savait par expérience que rien ne valait la fatigue du corps pour guérir l'esprit des pensées qui l'obsédaient.

Que faisaient les Cavell à présent ? Jamie et Beth s'étaient-ils réconciliés ? A l'heure qu'il était, ils devaient mettre la dernière main aux préparatifs de leur réveillon…

Riley s'interrompit. Il tendit l'oreille, tous ses sens en éveil. Quel était ce bruit ? Le hurlement du vent dans le faîte des arbres ? Le craquement de la glace ? Il écouta longuement, mais ne distingua rien.

Il se remit au travail, soulevant la neige à grandes pelletées. Mais, sur sa nuque, les cheveux se hérissaient. C'était une sensation étrange et familière, comme celle qu'il avait ressentie six ans auparavant, la nuit où il avait aperçu cette lumière vacillante dans la fenêtre d'un mobile home. Une veille de Noël… Comme aujourd'hui !

Il se figea, immobile dans la neige tourbillonnante, l'oreille dressée. Brusquement, il rejeta la pelle et en trois enjambées regagna le bord de la route où il resta sans bouger, les paupières plissées, la poitrine haletante.

Rien ! Alors, il se mit à courir, s'enfonçant à chaque pas dans la neige comme dans des sables mouvants. Sa respiration devint difficile. Cependant, il continua sa course, les yeux brûlants, les oreilles bourdonnantes.

Soudain, au milieu de la route, il distingua ce qui ressemblait à un petit tas de chiffons. Ignorant la douleur de ses jambes fourbues, Riley rassembla ses forces et se précipita pour s'agenouiller auprès du petit corps de Jamie recroquevillé sur lui-même.

— Jamie, n'aie plus peur, je suis là, murmura-t-il, en pressant contre sa poitrine l'enfant qui tremblait de tous ses membres.

— J'ai... perdu... Buddy Bear, hoqueta le petit en pleurs. J'ai essayé de suivre tes traces, mais la neige était trop profonde...

— Chut ! ne pleure plus. Nous allons le retrouver, je te le promets.

Essuyant le petit visage mouillé de larmes, il sentit le corps de l'enfant se détendre, blotti dans ses bras.

— J'ai eu si peur, continua Jamie en laissant tomber sa tête sur l'épaule de Riley. Si peur...

Une pensée effrayante traversa l'esprit de Riley comme un éclair. Pourquoi l'enfant avait-il suivi ses traces ? Jamie s'était-il lancé à sa recherche parce qu'il était arrivé quelque chose à Beth ?

— Où est ta tante ? interrogea-t-il, s'efforçant de ne pas trahir son anxiété.

— Elle dort. Je n'ai pas fait de bruit en partant pour ne pas la réveiller.

— Mais pourquoi as-tu fait cela ?

Beth était probablement folle d'inquiétude à l'heure qu'il était.

— Je voulais t'offrir un cadeau pour Noël, répondit Jamie d'une toute petite voix.

Riley se releva et s'élança en direction du chalet. Le cœur battant à tout rompre, il courut, poussé par une nécessité absolue : retrouver Beth au plus vite pour lui épargner cette nouvelle source d'appréhension et de chagrin.

— Tu n'aurais pas dû sortir comme ça, sans prévenir ta tante. Si tu recommences, tu auras affaire à moi.

Tout ce à quoi aspirait Riley en cet instant était de tenir l'enfant dans ses bras pour le protéger. Et l'aimer. Ce qui impliquait toutefois de se montrer ferme à l'occasion, de définir des limites à ne franchir sous aucun prétexte. C'était le rôle d'un père, il ne l'ignorait pas… C'était le rôle qu'il voulait tenir.

— Il fallait que je te donne ton cadeau, tenta de riposter Jamie.

— Rien ne valait que tu risques ta vie. Si tu fais encore une chose pareille, je te promets une bonnc fessée.

Il s'avisa tout à coup que l'avenir de l'enfant ne lui était pas indifférent, qu'il envisageait même d'y participer d'une certaine manière.

— Une fessée, murmura le petit garçon comme pour lui-même. C'est pour les enfants très méchants. Le Père Noël ne va donc pas venir ?

— Je pense que, depuis le temps, il a l'habitude des petits garçons pas sages. Il sait pardonner. S'il n'apportait des cadeaux qu'aux enfants parfaits, il se retrouverait bientôt sans travail.

Pardonner. Cette pensée fit subrepticement son chemin dans l'esprit de Riley. Mais le temps n'était pas venu de s'y attarder pour le moment. Il venait d'apercevoir, quelques mètres plus loin, une petite tache dorée à demi ensevelie dans la neige. Ils s'approchèrent.

— Le voilà ! s'exclama Jamie.

Riley se pencha pour ramasser un paquet maladroitement emballé. Par une déchirure dans le papier mouillé, Buddy lui apparut, en piteux état. Riley le déposa délicatement dans les bras de Jamie, lequel embrassa l'ourson en lui chuchotant quelques mots à l'oreille.

Sans plus tarder, Riley reprit sa course.

C'est alors que sur la colline, au-dessus des lacets de la route, il distingua une petite silhouette qui s'avançait dans leur direction.

— Beth ! cria-t-il. Nous sommes ici ! Jamie est avec moi.

Beth s'immobilisa une seconde, scruta les alentours, puis dévala la pente, glissant et trébuchant dans les amas de neige. Quittant la route à son tour, Riley se mit à gravir le versant de la colline pour s'élancer à sa rencontre.

Lorsqu'ils se retrouvèrent face à face, à bout de souffle, Riley lut dans les yeux de Beth comme à livre ouvert. Et, comme si celle-ci eût craint que son regard ne fût pas assez expressif, elle se hissa sur la pointe des pieds, jeta ses bras autour de son cou et l'embrassa à pleine bouche. Un baiser fougueux, passionné, qui ne laissait aucun doute sur les sentiments qu'elle éprouvait pour lui. Riley sentit ses dernières résistances s'écrouler.

La jeune femme s'empara ensuite de Jamie, enfouit son visage dans les cheveux de l'enfant et le couvrit de baisers.

— Pourquoi t'es-tu sauvé sans rien dire ? demanda-t-elle.

Puis, elle déposa Jamie à terre, planta ses mains sur ses hanches et considéra le garçonnet d'un air furieux.

— Eh bien, j'attends tes explications !

— Il fallait que je donne son cadeau à Riley.

Ce dernier leva un sourcil. Peut-être n'avait-il pas montré assez d'autorité dans ses menaces de fessées tout à l'heure. En tout cas, il n'aurait pas dû offrir de sa propre initiative le pardon du Père Noël. Que connaissait-il des intentions du vieux bonhomme après tout ?

Beth ne se laissa pas attendrir.

— Mais de quel cadeau parles-tu ? Tu n'as rien pour Riley…

Lorsque son regard tomba sur le pauvre paquet déchiré, elle s'interrompit et éclata en sanglots.

Riley ne put résister au désir de la prendre dans ses bras pour la consoler et sécher ses larmes.

Avec quelques signes d'impatience, Jamie se glissa entre eux en brandissant son cadeau.

— Tiens, Riley ! Tu peux l'ouvrir maintenant.

Bien que Riley ne se sentît pas en droit d'accepter un tel don, il n'avait guère le choix. Aussi prit-il le paquet, le cœur débordant d'émotion. Et, comme celui-ci passait des mains de Jamie dans les siennes, il éprouva soudain une sensation des plus étranges. C'était une part de Jamie qu'il recevait, en même temps que son présent, la part du petit garçon qui croyait aux miracles de Noël.

Avec précaution, Riley défit les restes de l'emballage et découvrit un Buddy Bear dans un état pitoyable, amaigri dans sa fourrure trempée.

Incapable d'articuler un mot, le cow-boy resta un instant silencieux, puis déclara d'une voix étranglée :

— Je ne peux pas prendre ton ours, Jamie.

— Mais je n'ai rien d'autre à te donner !

Et la confiance, l'espoir, l'amour ? Tout ce que Jamie avait déjà offert à Riley, n'était-ce pas le plus précieux des cadeaux ?

— Je ne peux pas accepter, répéta Riley.

— Il le faut ! Tu as besoin de lui plus que moi. Ça se voit. Tu as l'air si triste parfois, Riley. Buddy Bear pourra t'aider. Si tu lui racontes tes malheurs, il t'écoutera.

Riley demeura silencieux, en proie à une honte irrépressible. A peine une heure auparavant, il avait déserté un enfant qui se réjouissait de passer les fêtes de Noël en sa compagnie, et ce dernier avait non seulement pardonné sa trahison mais lui offrait ce qu'il avait de plus cher au monde. Comment avait-il pu accuser Beth et se servir de cette excuse pour l'abandonner ? La vérité était qu'il redoutait l'amour qu'il voyait briller dans les grands yeux verts de la jeune femme, tout comme il se sentait indigne de la confiance que lui manifestait l'enfant. Et cette vérité, il l'avait entrevue la nuit précédente.

Riley prit enfin conscience des raisons profondes qui l'avaient poussé à agir ainsi, ces derniers jours. Ce n'était pas l'ambiance chaleureuse du chalet qui l'avait fait fuir, ni son refus de jouer le rôle de père. Au contraire, de tout son être il avait aspiré à savourer ces deux cadeaux de la vie. Mais, depuis la nuit terrible où il avait, malgré tous ses efforts, échoué à sauver un enfant, il avait bâti autour de lui un dérisoire système de défense : plus il souhaitait quelque chose, plus il s'en écartait afin de ne pas essuyer un nouvel échec. Et ce mécanisme de survie, il l'appliquait rigoureusement depuis six ans. Quoi d'étonnant à ce qu'il se trouvât quelque peu désemparé quand on lui donnait une seconde chance ?

Tout à coup, il lui apparut clairement qu'il avait été pardonné. Se cramponner à ses erreurs passées en dépit de l'amour qui lui était offert eût été un coupable manque de gratitude. Ce qui s'était passé six ans auparavant était oublié, son ardoise avait été effacée.

Il y avait bien longtemps, un enfant était venu au monde pour lui faire le même don. Ses paroles avaient été mal interprétées, dénaturées, oubliées, mais le message avait conservé toute sa pureté originelle dans le cœur innocent des enfants comme Jamie.

Riley avait lui aussi une offrande à faire. Il en avait eu l'intuition dès le premier instant où son regard avait croisé celui de Beth à l'aéroport. Et, la nuit dernière, il avait compris que ce qu'on attendait de lui, désormais, c'était de donner son cœur, si meurtri, si triste fût-il. Quel pauvre cadeau pour celle qui s'apprêtait à le recevoir ! Un homme des montagnes farouche et ombrageux, avec tous ses défauts et toutes ses faiblesses. Cependant, il avait pris conscience que Beth l'acceptait tel qu'il était. L'amour l'avait finalement rattrapé, jusque dans le coin le plus reculé de la terre où il avait cherché refuge. Et il ne pouvait que s'en réjouir. Et s'en sentir terrorisé, à la fois !

Il enlaça Beth et l'embrassa longuement, avec une passion qu'il n'avait jamais connue auparavant. Dans le tendre baiser qu'elle lui rendit, il devina la réponse à la question qu'il se devait de poser.

— Eh bien, Bethany, n'avons-nous pas suffisamment erré dans le désert ? N'est-il pas temps de chercher le chemin du retour ?

Elle fixa sur lui un regard plein de paisible dévotion.

— Oui. Rentrons à la maison.

Épilogue

Riley avançait d'un pas ferme sur la neige gelée qui recouvrait la route. A quelque distance, la demeure familiale doucement éclairée luisait dans la pénombre. Dans le ciel, les étoiles scintillaient d'un éclat glacé. Il n'y avait pas eu de tempête cet hiver, mais le froid était encore plus vif que l'année précédente.

Beth, Jamie et lui avaient longuement débattu la question de savoir s'ils passeraient Noël au chalet, puis avaient fini par opter pour le ranch.

Lorsque les Cavell avaient quitté l'Arizona pour s'installer au village de Bragg Creek, au début de l'année, la jeune femme avait insisté pour emménager dans une maison à elle. Riley, qui était fou amoureux d'elle, avait alors entrepris de lui faire une cour assidue, avant de l'épouser quelques mois plus tard. Mais sa passion, loin de s'apaiser, n'avait fait que croître.

Cette année-là, avec des mines de conspirateurs, Beth et lui avaient parcouru ensemble la lettre de Jamie au Père Noël.

« Cher Père Noël, lut Riley à voix haute. J'espère que tout se passe bien chez toi, au pôle Nord. Comment vont les rennes et les lutins ? J'ai été très sage cette année. J'aimerais que tu m'apportes un poney ou un chien. Si tu ne sais pas où en trouver, je te signale que nos voisins, les McCaffrey, ont des labradors. »

Il entendit un sanglot étouffé.

— Tu pleures ? demanda-t-il.

— Il demande la même chose que les autres petits garçons. Bien sûr que je pleure !

Riley tourna la tête vers sa jeune épouse. En réalité, ces jours-ci Beth fondait en larmes à tout propos. Elle avait éclaté en sanglots en voyant Mary tricoter de minuscules chaussons, puis lorsqu'ils avaient acheté ensemble le couffin pour la chambre du bébé, et enfin la nuit où ils avaient décidé que, si c'était un garçon, ils l'appelleraient Ben.

Beth s'essuya les yeux et esquissa un sourire.

— C'est parce que je suis heureuse.

Quelle drôle de manière de manifester sa joie ! se dit Riley à part soi. Décidément, les femmes étaient des êtres bien mystérieux, et il n'aurait pas trop de toute une vie pour comprendre la sienne.

Il acheva la lecture de la lettre.

— « P.S. : Merci de m'avoir apporté un papa l'année dernière. C'est le meilleur papa du monde, tout à fait ce qu'il nous fallait à tante Beth et à moi. »

Ce fut son tour de sentir sa voix s'étrangler.

Chaque jour depuis qu'il appartenait à cette petite famille soudée par l'amour, Riley apprenait à se conduire en héros.

Il avait compris qu'être un héros signifiait avoir le courage d'abandonner sa maîtrise de soi, et se laisser guider par son cœur plutôt que par sa tête. Etre un héros voulait dire aussi se lever à 5 heures du matin pour conduire Jamie à son entraînement de hockey sur glace. Etre un héros supposait de se coucher près de sa femme, de la cajoler et de lui préparer des tisanes de verveine fraîche lorsque sa grossesse la fatiguait…

De la vapeur s'échappait des naseaux du petit poney enrubanné que Riley conduisait par la bride, son cadeau pour Jamie.

— Oui, je sais, dit Riley à voix haute. Un véritable héros est aussi une grande personne qui croit au Père Noël. Du moins, à l'esprit de Noël.

Un esprit de générosité et de désintéressement, un esprit qui avait le pouvoir de transformer un homme au-delà de ce dont il se croyait capable. Là résidait la seule force susceptible de réellement changer le monde. La force de l'amour.

Chère lectrice,

Vous nous êtes fidèle depuis longtemps?
Vous venez de faire notre connaissance?

C'est pour votre plaisir que nous avons imaginé un rendez-vous chaque mois avec vos auteurs préférés, vos AUTEURS VEDETTE *dans les collections* Azur *et* Horizon.

Les AUTEURS VEDETTE *vous donneront rendez-vous pour de nouveaux livres vedette.*

Pour les reconnaître, cherchez l'étoile... Elle vous guidera!

Éditions Harlequin

HARLEQUIN

LE FORUM DES LECTEURS ET LECTRICES

CHERS(ES) LECTEURS ET LECTRICES,

VOUS NOUS ETES FIDÈLES DEPUIS LONGTEMPS?

VOUS VENEZ DE FAIRE NOTRE CONNAISSANCE?

SI VOUS AVEZ DES COMMENTAIRES, DES CRITIQUES À FORMULER, DES SUGGESTIONS À OFFRIR, N'HÉSITEZ PAS... ÉCRIVEZ-NOUS À:

LES ENTERPRISES HARLEQUIN LTÉE.
498 RUE ODILE
FABREVILLE, LAVAL, QUÉBEC.
H7R 5X1

C'EST AVEC VOS PRÉCIEUX COMMENTAIRES QUE NOUS ALLONS POUVOIR MIEUX VOUS SERVIR.

DE PLUS, SI VOUS DÉSIREZ RECEVOIR UNE OU PLUSIEURS DE VOS SÉRIES HARLEQUIN PRÉFÉRÉE(S) À VOTRE DOMICILE, NE TARDEZ PAS À CONTACTER LE SERVICE D'ABONNEMENT; EN APPELANT AU (514) 875-4444 (RÉGION DE MONTRÉAL) OU 1-800-667-4444 (EXTÉRIEUR DE MONTRÉAL) OU TÉLÉCOPIEUR (514) 523-4444 OU COURRIER ELECTRONIQUE: AQCOURRIER@ABONNEMENT.QC.CA OU EN ÉCRIVANT À:

ABONNEMENT QUÉBEC
525 RUE LOUIS-PASTEUR
BOUCHERVILLE, QUÉBEC
J4B 8E7

MERCI, À L'AVANCE, DE VOTRE COOPÉRATION.

BONNE LECTURE.

HARLEQUIN.

VOTRE PASSEPORT POUR LE MONDE DE L'AMOUR.

♉ ♊ ♋ ♌ ♍ ♎ ♏

L'ASTROLOGIE EN DIRECT
TOUT AU LONG
DE L'ANNÉE.

(France métropolitaine uniquement)

Par téléphone 08.92.68.41.01

0,34 € la minute (Serveur SCESI).

Composé et édité par les
éditions Harlequin
Achevé d'imprimer en octobre 2004

BUSSIÈRE
GROUPE CPI

à Saint-Amand-Montrond (Cher)
Dépôt légal : novembre 2004
N° d'imprimeur : 44656 — N° d'éditeur : 10930

Imprimé en France